Chères lectrices,

Mardi-gras approche, avec ses carnavals hauts en couleur. Porter un masque, se déguiser, être une autre pour quelques heures, quel plaisir délicieux ! Devenir une princesse, une fée ou une comtesse des siècles passés, incarner un de ces personnages merveilleux des contes, des légendes ou de l'histoire, n'est-ce pas s'offrir le plaisir, pour un instant, de vivre leurs vies intenses et romanesques ?

Et puis, dissimuler son identité derrière un déguisement, n'est-ce pas l'occasion de faire naître des situations troublantes et infiniment romantiques, des situations qui nous donnent le délicieux frisson de l'inconnu et de l'aventure ? Par exemple, qui est cet homme mystérieux qui nous regarde derrière son masque ? Est-ce un inconnu ou bien un homme que nous avons déjà rencontré et que nous ne reconnaissons pas encore ?

Laissons-nous emporter par ce bal des masques…

Très bonne lecture.

La responsable de collection

Otages du désir

SARAH MORGAN

Otages du désir

COLLECTION AZUR

*éditions*Harlequin

Cet ouvrage a été publié en langue anglaise sous le titre :
MILLION-DOLLAR LOVE-CHILD

Traduction française de
ELISABETH MARZIN

HARLEQUIN®

est une marque déposée du Groupe Harlequin
et Azur ® est une marque déposée d'Harlequin S.A.

83-85, boulevard Vincent-Auriol, 75013 PARIS — Tél. : 01 42 16 63 63
Service Lectrices — Tél. : 01 45 82 47 47
ISBN 978-2-2802-0565-8 — ISSN 0993-4448

1.

Jamais elle n'avait éprouvé une telle anxiété.

Debout devant la baie vitrée, dans la salle de réunion de Santoro Investments, Kimberley regardait sans les voir les rues animées de Rio de Janeiro.

Cette attente était un véritable supplice. Tout dépendait de cette entrevue. Tout... A cette pensée, elle sentit son estomac se nouer. Quelle cruelle ironie ! La seule personne qui pouvait lui venir en aide aujourd'hui était l'homme qu'elle s'était juré de ne jamais revoir.

Kimberley ferma les yeux et prit une profonde inspiration. Mieux valait ne pas se faire d'illusions. Il ne daignerait pas la recevoir.

Il était déjà miraculeux qu'elle ait réussi à se faire annoncer alors qu'elle n'avait pas rendez-vous. Si elle avait obtenu ce privilège, c'était uniquement parce que l'assistante de Luciano Santoro l'avait prise en pitié. Visiblement émue par son angoisse manifeste, cette femme d'un certain âge au regard bienveillant avait insisté pour la faire attendre dans la salle de réunion climatisée. Après lui avoir apporté un verre d'eau, elle lui avait assuré avec un sourire apaisant que M. Santoro n'était pas aussi redoutable que le suggérait sa réputation.

Malheureusement, elle connaissait assez Luciano pour savoir que sa réputation était bel et bien fondée, songea Kimberley en déglutissant péniblement. Un verre d'eau ne suffirait pas à lui donner le courage nécessaire pour l'affronter.

Qu'allait-elle lui dire ? Comment lui présenter la situation ? Et par où commencer ?

En tout cas, il était exclu de faire appel à sa compassion : il en était totalement dépourvu. Se pencher sur les problèmes des autres n'était pas dans ses habitudes. Elle était bien placée pour le savoir... Le cœur de Kimberley se serra. Luciano Santoro était un monstre d'égoïsme qui ne pensait qu'à satisfaire ses désirs.

Et pendant une brève période, elle avait été pour lui un objet de désir.

Elle soupira. Comment avait-elle pu être aussi naïve ? Aussi confiante... Avec l'enthousiasme de ses dix-huit ans, elle s'était donnée à lui corps et âme. Elle l'avait aimé sans réserve parce qu'elle avait su dès le premier instant que c'était l'homme de sa vie. Il était tout pour elle.

Mais très vite, elle avait découvert qu'elle-même ne représentait rien pour lui.

Elle serra les dents. Inutile de ressasser le passé. Ce n'était pas le but de sa visite. Il fallait oublier la souffrance et l'humiliation que Luciano lui avait infligées.

Aujourd'hui, tout cela n'avait plus aucune importance.

Une seule chose comptait. Un seul être. Pour qui elle était prête à supplier Luciano à genoux... Parce qu'il était hors de question de quitter le Brésil sans l'argent dont elle avait besoin.

C'était une question de vie ou de mort.

Kimberley se mit à arpenter la pièce avec une nervosité croissante. Comment convaincre un homme qui ne voulait plus entendre parler d'elle de lui prêter cinq millions de dollars ?

Comment formuler sa demande ? Que lui dire pour qu'il se sente concerné ?

Son cœur fit un bond dans sa poitrine. La porte venait de s'ouvrir… Elle se retourna, les jambes tremblantes.

Luciano Santoro pénétra dans la pièce d'un pas nonchalant. Son visage, toujours aussi séduisant, était impénétrable.

Kimberley déglutit péniblement. La situation était encore plus critique qu'elle ne l'imaginait.

Elle ressemblait à une biche prise au piège…

Impassible, Luciano contemplait la superbe jeune femme à la chevelure flamboyante qui le regardait avec un air de bête traquée.

Elle semblait si terrorisée qu'elle aurait presque pu susciter sa pitié. Mais il la connaissait trop bien. Et s'il avait été à sa place, il aurait tremblé autant qu'elle.

Comment osait-elle se présenter devant lui ? Quelle audace !

Sept ans.

Il n'avait pas vu Kimberley Townsend depuis sept ans et il était toujours aussi sensible à son charme ravageur.

Jambes interminables, chevelure soyeuse, lèvres pulpeuses et yeux émeraude au regard candide…

Dire que, pendant un certain temps, elle avait réussi à le berner avec son numéro de jeune fille naïve et désintéressée ! Habitué à fréquenter des femmes aussi sophistiquées et calculatrices que lui, il avait été fasciné par son innocence.

C'était la première et dernière erreur de jugement de sa vie d'adulte.

En réalité, Kimberley était une aventurière aussi cupide que rusée. Aujourd'hui, il en était pleinement conscient et elle le savait très bien.

Alors, pourquoi venait-elle le trouver ? C'était le signe d'un grand courage ou d'une extrême stupidité.

Avec une lenteur délibérée, il fit quelques pas vers elle. Elle semblait tétanisée... De toute évidence, son courage était limité. Elle était donc stupide.

A moins qu'elle ne soit aux abois ?

La gorge sèche, Kimberley était clouée sur place. Comment avait-elle pu oublier l'effet dévastateur que produisait Luciano Santoro sur les femmes ? Comment avait-elle pu s'imaginer un seul instant, à l'époque, qu'elle pourrait retenir auprès d'elle un homme comme lui ?

Le temps avait fini par estomper ses souvenirs, et le choc de le revoir aujourd'hui était d'autant plus violent.

Cet homme était l'incarnation même de l'idéal masculin. Son élégance désinvolte, son aisance naturelle, la virilité qui se dégageait de tout son être lui donnaient un pouvoir de séduction irrésistible.

Parcourue d'un long frisson, Kimberley le regarda s'avancer vers elle, fascinée par ce visage aux pommettes hautes et à la bouche sensuelle, encadré par d'épais cheveux de jais. Ses yeux noirs, dardés sur elle, brillaient d'une lueur inquiétante. Il arborait la tenue classique de l'homme d'affaires, mais même la coupe impeccable de son costume gris ne parvenait pas à masquer entièrement le côté sombre et sauvage de sa personnalité, qui ajoutait encore à son magnétisme.

Kimberley sentit son cœur s'affoler dans sa poitrine. Elle avait commis une grave erreur. Comment avait-elle pu s'imaginer que Luciano détenait la solution de son problème ? Non seulement il refuserait certainement de l'aider, mais, après toutes ces années, il représentait toujours le même danger pour elle.

Malgré tout, elle n'avait pas le choix, se rappela-t-elle, la mort dans l'âme. Si elle était venue jusqu'à Rio, c'était parce que Luciano était son seul espoir.

— Bonjour, Luciano.

Une lueur moqueuse s'alluma dans les yeux noirs.

— Quelle solennité… Il me semble que tu m'appelais Luc, autrefois.

Kimberley réprima un frisson. La voix de Luciano avait des accents inquiétants.

— C'est du passé, répliqua-t-elle d'une voix qu'elle espérait assurée.

Or, elle voulait oublier le passé. Elle ne voulait à aucun prix se rappeler l'époque où elle hurlait son prénom quand il l'emportait avec lui au paradis.

Il haussa les sourcils.

— Est-ce à une subite envie de tirer un trait sur le passé que je dois l'honneur de cette visite ? Serais-tu venue implorer mon pardon et me rendre l'argent que tu m'as volé ?

Mortifiée, Kimberley déglutit péniblement.

— Je sais que j'ai eu tort d'utiliser tes cartes de crédit, mais… j'avais une bonne raison.

Seigneur ! Le discours qu'elle avait répété avec tant de soin s'était brusquement effacé de sa mémoire. Comment allait-elle s'y prendre pour l'obliger à l'écouter ? Pourquoi son esprit restait-il désespérément vide ?

— Tu me les avais données et…

— En effet. C'était l'un des nombreux avantages dont tu jouissais quand tu étais avec moi, coupa-t-il avec une pointe d'ironie. Sauf que tu as utilisé ces cartes alors que nous n'étions plus ensemble. Félicitations. Je pensais qu'aucune femme n'avait le pouvoir de me surprendre.

Il tourna lentement autour d'elle en poursuivant sur le même ton.

— Tu as réussi à me prouver le contraire. Dire que pendant notre relation tu n'as jamais dépensé un seul centime… J'ai vraiment cru que tu étais unique en ton genre. Et je dois reconnaître que je trouvais ton désintéressement plutôt attachant.

La voix de Luciano se durcit.

— En fait, tu étais encore plus hypocrite que les autres. Tu as commencé par te réfréner pour mieux m'escroquer par la suite. Dès que notre relation a pris fin, tu t'es montrée sous ton vrai jour.

Kimberley était abasourdie. Que sous-entendait-il ? Il était vraiment urgent de lui dire la vérité ! Prenant une profonde inspiration, elle bredouilla :

— Je… je peux t'expliquer à quoi a servi cet argent.

— Epargne-moi ça, par pitié. S'il y a une chose encore plus ennuyeuse que d'accompagner une femme qui fait du shopping, c'est bien de l'entendre raconter ses exploits après coup.

Kimberley n'en croyait pas ses oreilles.

— Tu crois que c'est pour faire du shopping que j'ai utilisé tes cartes ?

— Tu t'es consolée de notre rupture en t'offrant une nouvelle garde-robe, répliqua-t-il en haussant les épaules d'un air désabusé. C'est un comportement typiquement féminin.

— Comment peux-tu me croire aussi malhonnête ? s'exclama Kimberley, au comble de l'indignation. Si j'ai eu besoin de cet argent, c'était pour survivre. Je te rappelle que j'avais tout quitté pour toi. Tout. Mon travail, mon appartement… C'est toi qui as insisté pour que je m'installe chez toi.

— Je ne me souviens pas que tu aies émis la moindre objection.

— Je t'aimais, Luciano.

La voix de Kimberley se brisa et elle dut attendre d'avoir repris son sang-froid avant de poursuivre.

— Je t'aimais tellement que je n'imaginais pas la vie sans

toi. Il ne m'est jamais venu à l'esprit que nous pourrions nous séparer.

— Il est vrai que les femmes ont une fâcheuse tendance à s'imaginer très vite en robe blanche devant l'autel.

— Je me moquais du mariage. Vivre avec toi suffisait à me rendre heureuse.

— C'est ce que tu voulais me faire croire.

— Tu suggères que je jouais la comédie ?

— Je dois reconnaître que tu étais très convaincante. Mais il faut dire que le jeu en valait la chandelle. L'espoir d'épouser un homme riche suffit souvent à insuffler à une femme un immense talent de comédienne.

Kimberley était anéantie. Comment avait-elle pu laisser la conversation prendre un tour aussi catastrophique ? Avant de venir, elle savait qu'il ne serait pas facile de présenter sa requête à Luciano, mais plus les minutes passaient, plus sa démarche semblait vouée à l'échec. Pourtant, il fallait absolument trouver les mots pour lui expliquer le but de sa visite. Et le convaincre de l'aider...

— Luciano, je t'aimais et je suis certaine qu'au fond de toi tu en es conscient. D'ailleurs, tu étais attaché à moi, toi aussi. Tu ne m'aimais peut-être pas autant que je t'aimais, mais tu éprouvais des sentiments pour moi. Je le sais.

— J'étais ton premier amant et je reconnais que ça m'excitait au plus haut point, concéda-t-il d'une voix suave. T'initier à l'amour m'a procuré un plaisir inouï. Et comme je tenais à ce que tu le partages, j'ai fait ce qu'il fallait pour te mettre en confiance et te libérer de tes inhibitions. Je dois d'ailleurs reconnaître que tu étais particulièrement douée.

Au comble de l'humiliation, Kimberley eut l'impression de recevoir un coup de poignard en plein cœur. En d'autres termes, s'il lui avait prodigué des marques d'affection, c'était uniquement pour améliorer leurs performances sexuelles...

— Tes gestes de tendresse ne représentaient rien d'autre ? demanda-t-elle d'une voix éteinte.

Il haussa les épaules sans répondre.

Kimberley ferma les yeux. Comment avait-elle pu être aussi stupide ? En effet, Luciano avait été son premier amour. Mais ce n'était pas une excuse ! Avec un père tel que le sien, elle aurait dû faire preuve d'un peu plus de clairvoyance.

Lassée d'être trompée, sa mère avait quitté le domicile conjugal juste après le quatrième anniversaire de Kimberley, qui avait vu ensuite se succéder une multitude de femmes. Celles-ci ne faisaient qu'un passage éclair dans la vie de son père, avant de s'en aller à leur tour dans des torrents d'injures et de larmes.

Kimberley avait décidé de ne jamais tomber amoureuse d'un homme comme son père. Elle ne donnerait son cœur qu'à un homme capable de lui prouver sa sincérité et sa loyauté, s'était-elle promis solennellement.

Mais quand elle avait rencontré Luciano, elle avait été emportée dans un tel tourbillon de folie qu'elle en avait oublié toute prudence. Préférant ignorer sa réputation de don Juan, elle avait voulu voir en lui le prince charmant de ses rêves.

Elle lui avait accordé une confiance aveugle. Et elle en avait été cruellement punie.

Mais peu importait. Une seule chose était importante à présent. Lui dire enfin toute la vérité et lui expliquer pourquoi elle avait besoin de son aide.

Elle prit une profonde inspiration.

— Pour en revenir à tes cartes de crédit… je les ai utilisées pour une raison très précise. Avant de t'expliquer laquelle, je veux cependant te rappeler qu'à l'époque j'ai tenté à plusieurs reprises de te parler. Mais tu n'as jamais accepté de me recevoir ni même de prendre mes appels, et…

— Je ne vois pas l'utilité de cette conversation.

Luciano jeta un coup d'œil à sa montre avec une exaspération manifeste.

— Je t'ai déjà dit que tes histoires de shopping ne m'intéressaient pas. Et si tu avais besoin d'argent, tu aurais dû en demander à ton autre amant.

Suffoquée, Kimberley poussa un cri étranglé.

— Je n'avais pas d'autre amant ! Tu le sais aussi bien que moi !

— Non, je n'en sais rien du tout. A deux reprises au moins, je suis rentré à la maison pour m'entendre dire que tu étais « sortie ».

— Parce que j'en avais assez de rester là à t'attendre pendant que tu étais dans les bras d'une autre femme ! Oui, je suis sortie sans toi ! Quel crime !

Les yeux noirs de Luciano jetèrent des étincelles.

— Tu n'avais pas besoin de sortir. Tu étais à moi.

— Je ne suis pas un objet ! Mais c'est un détail qui t'a échappé, bien sûr ! Pour toi, toutes les femmes sont des jouets que tu jettes dès qu'ils ne t'amusent plus. Comment peux-tu être aussi macho ? Tu t'imaginais vraiment que j'attendrais sans broncher que tu daignes rentrer ?

— Oui, j'avais cette illusion. Mais tu as préféré élargir tes horizons sexuels.

Outrée, Kimberley fut prise d'une furieuse envie de le gifler. Comment un homme aussi intelligent pouvait-il être aussi stupide en ce qui concernait les femmes ? Il n'avait décidément rien compris… Elle écarta d'un geste impatient une mèche qui lui tombait devant les yeux.

— Qu'étais-je censée faire pendant ton absence ?

— Te reposer en attendant mon retour, répliqua-t-il d'une voix mielleuse.

Un véritable homme de Neandertal ! Ainsi, elle était censée attendre sagement dans la grotte le retour du chasseur… Au comble de l'indignation, Kimberley faillit tourner les talons et partir en claquant la porte.

— Nous sommes au XXIe siècle, Luciano ! Les femmes votent. Elles dirigent des entreprises. Elles ont une vie sociale.

— Et elles trompent leurs partenaires.

Il haussa les sourcils d'un air méprisant.

— Quel progrès !

— Je ne t'ai jamais trompé ! Toi, en revanche, tu as été pris en photo dans un bar en train d'embrasser une autre femme, tu te souviens ? De mon côté, je me suis contentée de sortir sans toi. Rien de plus.

— Inutile de me donner des détails, ça ne m'intéresse pas.

Peu à peu, sans en avoir conscience, ils se rapprochaient l'un de l'autre.

— Tu devrais peut-être au contraire t'intéresser aux détails, au lieu de tirer des conclusions hâtives, suggéra-t-elle d'une voix tremblante. Et au lieu de me traiter en coupable, tu ferais mieux de reconnaître tes torts. Comme tu l'as souligné toi-même, je n'avais pas connu d'homme avant toi. Ça ne t'a pas empêché de me séduire pour me laisser tomber quelques semaines plus tard sans le moindre remords.

Il promena sur elle un regard incrédule.

— Tu n'es tout de même pas revenue pour m'accabler de récriminations ? Aurais-tu oublié que tu étais ravie d'être séduite ? Si c'est le cas, je vais me faire un plaisir de te rafraîchir la mémoire.

Avant qu'elle ait le temps de réagir, il referma ses longs doigts autour de son poignet et il l'attira contre lui. L'air se chargea d'électricité.

— Cette première nuit, à l'arrière de ma voiture, quand tu as pressé ton corps superbe contre le mien… n'était-ce pas une invitation ?

La voix de Luciano était un murmure sensuel et son souffle chaud caressait les lèvres de Kimberley.

Elle tenta de dégager son poignet et de s'écarter de lui, mais il la retenait avec fermeté. Seigneur ! Comment avait-elle pu se laisser surprendre aussi stupidement ? Mais surtout… pourquoi était-elle toujours aussi troublée par ce goujat ? Décidément, cette entrevue échappait de plus en plus à son contrôle…

— Cette nuit-là, j'étais effrayée, rappela-t-elle d'une voix à peine audible en s'efforçant d'ignorer les frissons qui la parcouraient. Je venais d'être agressée.

Et Luciano avait volé à son secours. Faisant preuve d'un courage hors du commun et d'un talent pour le combat de rue qui contrastait étrangement avec son smoking impeccable, il n'avait pas hésité à affronter six hommes. Et il avait réussi à les mettre en fuite en quelques minutes. Tactique imparable pour séduire une femme…

Il resserra ses doigts autour de son poignet, la faisant tressaillir.

— Quand tu t'es assise sur mes genoux en me suppliant de t'embrasser, n'était-ce pas une invitation ?

Mortifiée, Kimberley sentit ses joues s'enflammer.

— Je ne sais pas ce qui m'a pris, cette nuit-là.

En fait, un seul regard sur cet homme aussi séduisant qu'héroïque avait suffi à la projeter en plein conte de fées. Son prince charmant, c'était lui. Elle n'en avait pas douté un seul instant. Si elle avait su…

— Tu as tout simplement découvert ta vraie nature, commenta-t-il d'un ton posé. Alors ne m'accuse pas de t'avoir séduite. Tu sais aussi bien que moi que je me suis contenté de prendre ce que tu m'offrais de ton plein gré.

— J'étais jeune et innocente…

La voix de Kimberley s'éteignit. Les lèvres sensuelles de Luciano n'étaient plus qu'à quelques centimètres des siennes…

— Tu étais excitée, murmura-t-il d'une voix rauque.

Le cœur battant à tout rompre, elle était fascinée par son regard brûlant, fixé sur sa bouche. Il allait l'embrasser…

Une chaleur intense les enveloppait et l'air semblait vibrer autour d'eux. Luciano se pencha encore. Puis, soudain, il la lâcha et s'écarta d'elle en étouffant un juron.

— Pourquoi es-tu venue ? demanda-t-il d'une voix glaciale. Pour évoquer le passé ? Ou pour le faire revivre ? Si c'est le cas, sache qu'avec moi les femmes n'ont droit qu'à une seule chance. Or, tu as déjà eu la tienne.

Ecarlate, Kimberley fut assaillie par une foule de souvenirs brûlants. Elle recula vivement comme pour mieux leur échapper.

— Que ce soit bien clair, déclara-t-elle d'une voix qu'elle aurait voulue plus ferme. Pour rien au monde je ne revivrais ce que j'ai vécu avec toi, Luciano. C'est une expérience que je n'ai aucune envie de renouveler.

Il esquissa un sourire.

— En es-tu bien certaine ?

Allons bon, elle venait de commettre une erreur, comprit-elle avec anxiété. Luciano allait prendre ses paroles pour un défi. Or, il adorait relever les défis…

Elle se maudit intérieurement. Comment avait-elle pu laisser la discussion prendre un tour aussi périlleux ? Elle qui avait l'intention d'aller droit au but et de s'en tenir strictement à l'objet de sa visite…

Mais le plus inquiétant, c'était ce trouble profond qu'elle avait toutes les peines du monde à surmonter. Pourquoi était-elle toujours aussi sensible au charme d'un homme qui l'avait fait si cruellement souffrir ? C'était insensé… Et pourtant, s'il avait voulu l'embrasser, elle se serait laissé faire avec volupté. Quelle idiote !

La voix moqueuse de Luciano la fit tressaillir.

— Quelque chose me dit que tu as beaucoup de mal à réprimer le feu qui te dévore en ce moment même.

Il se rapprocha d'elle avec un sourire narquois.

— Pourquoi ne pas admettre une fois pour toutes que ton tempérament est aussi ardent que ta superbe crinière ? Tu meurs d'envie de te jeter dans mes bras. Inutile de nier. Je le sais.

Mortifiée, Kimberley darda sur lui un regard étincelant.

— Tu devrais te méfier de ton ego. Son hypertrophie altère ton jugement de façon inquiétante.

Il éclata de rire.

— J'adore quand tu te mets en colère. D'ailleurs, il nous est arrivé plus d'une fois d'avoir des discussions houleuses, n'est-ce pas, *meu amorzinho* ?

Kimberley eut un pincement au cœur. *Meu amorzinho...* Il l'avait toujours appelée ainsi et ce terme affectueux la faisait fondre. C'était tellement plus mélodieux que « ma petite chérie »...

Dieu merci, l'éclat de rire inattendu de Luciano avait quelque peu détendu l'atmosphère. Il fallait à tout prix éviter de se quereller de nouveau avec lui, se dit-elle fermement. Elle ne pouvait pas se le permettre. Mieux valait également réprimer le trouble que sa seule présence faisait naître en elle...

Elle prit une profonde inspiration.

— Il faut oublier le passé, Luciano. Nous avons tous les deux changé. Je ne suis plus la même.

— Sottises. Les gens ne changent jamais. Tout juste parviennent-ils à modifier leur image.

D'un geste vif, il lui enleva la barrette qui retenait ses cheveux. Avec un petit cri de protestation, elle emprisonna dans ses mains la masse de boucles flamboyantes qui ruisselait sur ses épaules.

— Qu'est-ce qui te prend ?

— Je te redonne une apparence plus conforme à ta nature

profonde. Pour te rappeler qui tu es sous le costume derrière lequel tu voudrais te cacher.

Il la toisa d'un air narquois.

— Tu te présentes à moi en tailleur strict, les cheveux sagement tirés en arrière. Qui crois-tu pouvoir tromper ? Pas moi, j'espère ? Je te connais trop bien.

Il la fixa d'un regard pénétrant avant d'ajouter d'une voix profonde et sensuelle :

— Je sais que tu es au contraire une créature passionnée. Sauvage. Et qu'en ce moment même tu brûles de désir pour moi.

A son grand dam, Kimberley sentit un éclair de désir la foudroyer. Seigneur ! Si seulement il pouvait avoir tort… Il fallait à tout prix réprimer cette attirance démoniaque qui la poussait vers lui. Elle ne devait à aucun prix succomber de nouveau à son charme destructeur.

Elle était venue pour lui révéler la vérité qu'elle avait été obligée de garder pour elle sept ans plus tôt. Et pour lui demander son aide. Pas pour raviver des sentiments dont elle avait mis des années à se délivrer.

— Tu ne sais plus rien de moi, déclara-t-elle avec une assurance qu'elle était loin de ressentir. Crois-tu vraiment que je suis restée la gamine naïve que tu as séduite autrefois ?

— Tu étais loin d'être une gamine naïve et ce n'est pas moi qui t'ai séduite. Notre passion était mutuelle, *meu amorzinho*. Tu as toujours été sur la même longueur d'onde que moi.

Tout en parlant, Luciano jouait nonchalamment avec une boucle flamboyante. Ce geste familier et sa voix caressante firent courir un long frisson dans le dos de Kimberley.

— Il n'y avait qu'une seule différence entre nous, poursuivit-il sur le même ton. Tu avais honte de ce que tu ressentais. Je pensais qu'avec le temps tu finirais par accepter ta sensualité naturelle au lieu de t'escrimer à la refouler.

A sa grande consternation, Kimberley sentit son corps s'embraser tout entier, tandis qu'une foule d'images érotiques envahissaient son esprit. S'efforçant de les ignorer, elle recula à la hâte.

Non, elle n'était plus la même, se dit-elle avec fermeté. Et peu importait la façon dont son corps réagissait en présence de cet homme. Aujourd'hui, c'était sa raison qui la gouvernait. Elle était plus mûre, plus lucide et tout à fait capable d'ignorer le feu insidieux qui couvait en elle.

Elle rejeta ses cheveux en arrière.

— Je te répète que j'ai changé et que le passé n'a plus aucune importance pour moi.

— C'est ce que tu ne cesses de répéter, en tout cas. Si c'est vrai, je serais curieux de savoir ce qui te ramène à Rio. Nos plages de sable blond ? Nos splendides montagnes ?

L'accent de Luciano faisait rouler les mots.

— Le rythme lancinant de la samba ? Je me souviens de ce soir où tu as dansé sur ma terrasse...

Des souvenirs empreints d'une nostalgie insoutenable défilèrent dans l'esprit de Kimberley. Le cœur serré, elle se mordit la lèvre. Il fallait absolument se concentrer sur le présent et en venir au fait. Maintenant.

— Si je suis revenue à Rio, c'est parce que...

La gorge sèche, elle s'interrompit un court instant.

— Nous avons un fils, Luciano.

Elle s'efforça de réprimer les tremblements qui la secouaient. Ce n'était pas le moment de flancher...

— Aujourd'hui il a six ans et sa vie est en danger. J'ai besoin de ton aide.

La voix de Kimberley se brisa.

— Tu es le seul à pouvoir le sauver.

2.

Comment le silence pouvait-il être aussi assourdissant ?

L'estomac noué, Kimberley retenait son souffle. Pourquoi Luciano ne disait-il rien ? Etait-ce la colère qui l'empêchait de parler ?

Le visage impassible, il s'assit dans le fauteuil le plus proche.

— Tu peux te vanter d'avoir une imagination fertile, commenta-t-il enfin d'un ton posé. Je me demandais quelle fable tu allais inventer pour justifier ta visite, mais je dois avouer que tu as tout de même réussi à me surprendre.

Kimberley resta sans voix.

Il ne la croyait pas ?

Elle s'attendait à des cris, à des insultes, à des reproches cinglants. Elle se préparait à subir stoïquement sa fureur avant de lui rappeler que sept ans plus tôt il ne lui avait pas laissé la moindre chance de le mettre au courant.

Mais pas une seule fois il ne lui était venu à l'esprit qu'il pourrait ne pas la croire !

— Tu penses vraiment que je m'amuserais à inventer un mensonge aussi énorme ? demanda-t-elle en s'asseyant en face de lui.

Il eut un haussement d'épaules désabusé.

— Certaines femmes sont prêtes à tout pour extorquer de

l'argent à un homme. Car je présume que c'est ce que tu es venue me demander. De l'argent.

Kimberley déglutit péniblement. C'était en effet l'objet de sa visite. Mais la raison qu'elle avait invoquée n'était malheureusement pas une fable destinée à le duper. C'était la vérité. L'insupportable vérité. Et il fallait absolument qu'il la croie.

Que lui dire ? Comment lui prouver qu'elle était sincère ?

— Pourquoi ne veux-tu pas me croire ? murmura-t-elle avec abattement.

Il eut un sourire narquois.

— Sans doute parce qu'il est très rare qu'une femme réapparaisse au bout de sept ans pour annoncer qu'elle est enceinte.

— Je ne suis pas enceinte, voyons. Je t'ai dit qu'il avait six ans. Il est né précisément quarante semaines après que nous… que tu…

Sous le regard ironique de Luciano, elle se mordit la lèvre. Si seulement il pouvait cesser de la regarder ainsi ! Et pourquoi se sentait-elle aussi fautive ? Après tout, c'était lui qui l'avait rejetée sans pitié. Alors, pourquoi avait-elle soudain le sentiment qu'elle lui devait des excuses ? Elle prit une profonde inspiration.

— Tu te demandes probablement pourquoi je ne t'en ai pas parlé sur le moment.

— C'est une question qui m'a traversé l'esprit, en effet, répliqua-t-il avec une indifférence manifeste.

— Tu m'avais chassée, Luciano, rappela-t-elle d'une voix tremblante. Et tu refusais de me voir ou même de répondre à mes coups de téléphone. Tu as été très dur avec moi.

Il haussa les épaules avec désinvolture.

— C'était une rupture comme une autre. Il n'y a pas de quoi en faire tout un drame.

— J'étais enceinte ! A plusieurs reprises, j'ai essayé de te le dire, mais tu n'as jamais voulu m'écouter. Et tu t'es montré si odieux que j'ai fini par penser qu'il était sans doute préférable que mon enfant ne connaisse pas son père. C'est pour ça que j'ai renoncé à te mettre au courant. Mais c'est la décision la plus douloureuse que j'aie jamais prise de ma vie. J'étais rongée par la culpabilité. Je m'en voulais terriblement de priver mon fils de son père. Et depuis sept ans, je m'en veux encore chaque jour.

— Encore une manie typiquement féminine, la culpabilité. C'est parce qu'elle est subitement devenue insupportable que tu t'es décidée à venir m'annoncer l'heureux événement ?

Découragée, Kimberley secoua la tête. Luciano était encore plus insensible que dans son souvenir. Mais comment pouvait-elle se sentir coupable ? Au contraire, elle devrait se féliciter d'avoir éloigné son fils de cet homme sans cœur. Malheureusement, aujourd'hui, elle avait besoin de Luciano.

— Que puis-je faire pour te prouver que je dis la vérité ? demanda-t-elle d'un ton las.

— Me le présenter, par exemple, répliqua-t-il avec un sourire moqueur.

Ce fut au tour de Kimberley de se montrer incrédule.

— Tu penses sérieusement que je l'ai amené jusqu'ici alors que tu n'étais même pas au courant de son existence ? Ce n'est pas aussi simple. Une rencontre aussi importante se prépare. Il faut d'abord que nous en discutions ensemble. C'est le genre de décision qui se prend à deux.

Une lueur moqueuse s'alluma dans les yeux noirs de Luciano.

— Je crains que ça pose un problème, *meu amorzinho.* Je prends toujours mes décisions seul. Mais en l'occurrence, ça n'a pas beaucoup d'importance, puisque nous savons tous les deux que ton — oh, excuse-moi, je devrais plutôt dire *notre* — fils est un pur produit de ton esprit cupide. Une telle rencontre est donc parfaitement impossible. A moins que tu aies engagé quelqu'un pour jouer son rôle ?

Effarée, Kimberley se laissa tomber dans un fauteuil.

— Comment peux-tu avoir une aussi piètre opinion de moi ? demanda-t-elle d'une voix blanche.

— Eh bien…

Il fit mine de réfléchir.

— Peut-être est-ce à cause de l'usage immodéré que tu as fait de mes cartes de crédit après notre rupture… A moins que ce ne soit à cause de la pension alimentaire que tu as l'intention de m'extorquer aujourd'hui.

Kimberley le regarda avec perplexité.

— Je n'ai pas l'intention de t'extorquer une pension.

Il leva les yeux au ciel.

— Tu es venue me demander de l'argent, non ?

— Oui, en effet. Mais ça n'a rien à voir avec une pension alimentaire. J'ai les moyens d'élever notre fils, aujourd'hui. Si j'ai utilisé tes cartes de crédit il y a sept ans, c'était parce que j'étais sans emploi. Tes cartes m'ont servi à acheter tout ce dont un bébé a besoin. Berceau, poussette, vêtements, couches… Je suis parfaitement consciente que ça peut être considéré comme du vol, mais je n'avais pas d'autre moyen de m'en sortir. Je me suis dit que c'était justement la seule pension alimentaire que je te ferais payer. Si je l'avais voulu, j'aurais pu intenter une action en recherche de paternité et t'obliger à payer des sommes beaucoup plus importantes pour l'éducation de Rio.

— Rio ?

— Je lui ai donné le nom de la ville où il a été conçu, expliqua Kimberley en rougissant.

— Comme c'est original…

Une ironie grinçante perçait sous le ton doucereux de Luciano.

— Et de quoi a-t-il besoin aujourd'hui ? D'un manteau pour aller à l'école ? Ou bien de chaussures neuves ?

Kimberley sentit son cœur se serrer. De toute évidence, il ne la croyait toujours pas. Pourtant, il était hors de question de repartir sans avoir obtenu ce qu'elle était venue chercher.

— La semaine dernière, j'ai reçu une lettre de menaces, déclara-t-elle d'une voix tremblante. Quelqu'un a découvert que Rio était ton fils et réclame de l'argent. Sinon…

La voix de Kimberley se brisa, tandis que les yeux noirs scrutaient son visage défait.

Après un silence, Luciano demanda :

— Montre-moi cette lettre.

Avec un immense soulagement, elle fouilla fébrilement dans son sac. Elle en sortit une feuille qu'elle posa sur la table basse.

Luciano la déplia et la lut, le visage impassible.

— Intéressant, commenta-t-il d'un ton ironique. Il suffit que je paye cinq millions de dollars pour que tout le monde puisse continuer à vivre tranquillement comme avant. J'ai bien compris, n'est-ce pas ?

Elle le fixa sans y croire. Le sort de son fils ne le préoccupait pas plus que ça ? Pourtant, à présent, il avait la preuve qu'elle ne lui mentait pas !

— Tu penses que céder à ces exigences n'est pas la bonne solution ? demanda-t-elle avec anxiété. Tu crois que nous devrions prévenir la police ?

Elle se massa les tempes pour tenter d'atténuer sa migraine. Elle avait tourné et retourné le problème dans son esprit tant de fois ! Hélas, elle ne savait toujours pas quelle était la meilleure solution.

— J'y ai pensé, bien sûr, reprit-elle. Mais j'ai tellement peur que l'auteur de la lettre mette ses menaces à exécution si je ne suis pas ses instructions…

Elle étouffa un sanglot.

— Je ne peux prendre aucun risque, Luciano. S'il arrive quelque chose à Rio, je ne m'en remettrai jamais.

Elle regarda son visage énergique. Pourvu qu'il vole à son secours comme il l'avait fait la nuit où ils s'étaient rencontrés ! Lui seul avait le pouvoir de l'aider. Encore fallait-il qu'il en ait la volonté…

— Faire appel à la police serait une très mauvaise idée, déclara-t-il en se levant et en se dirigeant à grands pas vers la fenêtre. Pas plus au Brésil qu'ailleurs elle n'apprécie qu'on lui fasse perdre son temps.

Kimberley ouvrit de grands yeux.

— Pourquoi perdrait-elle son temps ?

— Parce que cette lettre fait partie du plan alambiqué que tu as élaboré pour me soutirer de l'argent, répliqua-t-il d'un ton cinglant. Tu pensais sans doute qu'en suggérant d'avertir la police tu rendrais ton histoire plus crédible. Bien essayé. Malheureusement pour toi, je ne suis pas stupide.

— Tu crois toujours que j'ai tout inventé ?

— Mets-toi à ma place. Tu resurgis après sept ans en me réclamant cinq millions de dollars pour sauver la vie d'un enfant dont je n'ai jamais entendu parler et dont tu es incapable de prouver l'existence. Si c'est vraiment mon fils, pourquoi ne pas m'avoir dit que tu étais enceinte, à l'époque ?

— Je viens de te l'expliquer !

Abattue, Kimberley se massa la nuque.

— Quand je l'ai découvert, tu m'avais déjà quittée. J'ai essayé de te joindre par téléphone des dizaines de fois sans succès. J'ai fini par venir ici, mais tu as refusé de me recevoir. Tu ne m'as pas laissé une seule chance de te parler.

Elle refoula ses larmes. Il l'avait rayée de sa vie du jour au lendemain et elle avait cru mourir de chagrin…

Il haussa les épaules.

— Parler est encore une lubie féminine. Pour ma part, je n'ai jamais vu l'intérêt d'épiloguer sur une relation terminée.

— Raison de plus pour ne pas m'accabler de reproches aujourd'hui ! Non seulement tu as refusé de me parler, mais tu n'as même pas daigné m'écouter ! Et aujourd'hui, tu oses mettre ma parole en doute ?

Le regard de Luciano se durcit.

— C'est peut-être curieux, mais j'ai tendance à devenir méfiant avec les gens qui ne m'adressent la parole que pour me réclamer de l'argent.

Elle le regarda avec désespoir.

— C'est ton fils...

— Montre-moi une photo.

— Pardon ?

— Si cet enfant existe et si c'est mon fils, montre-moi au moins une photo.

Le cœur de Kimberley se serra. Elle avait l'impression de se trouver dans le box des accusés et de subir l'interrogatoire d'un procureur impitoyable.

— Je... je n'en ai pas sur moi. J'étais tellement paniquée que je suis partie précipitamment sans penser à en emporter une.

Elle se maudit intérieurement. Comment avait-elle pu commettre un tel oubli ? Elle aurait dû se douter que Luciano exigerait des preuves de l'existence de son fils.

Il darda sur elle un regard ironique.

— Tu n'as pas une seule photo de ton fils sur toi ? Quelle mère fantastique tu dois être !

— Je n'ai pas besoin de ça pour penser à lui ! cria-t-elle, outrée. A chaque instant, il est présent dans mon cœur. Quand il était bébé, je veillais sur lui jour et nuit. A présent qu'il va à l'école, je travaille à domicile pour être là quand il rentre. S'il n'était pas en danger, je ne serais jamais venue jusqu'ici. C'est la première fois que je le quitte et il me manque terriblement.

Mais ce n'est pas une fichue photo qui pourrait combler ce manque !

— Bravo. Bonne réponse, commenta-t-il avec un sourire sarcastique.

Tremblante d'émotion, elle secoua la tête avec accablement. Que dire de plus pour le convaincre ?

— Tu penses vraiment que j'invente toute cette histoire dans le seul but de te soutirer de l'argent ?

— A ton avis ?

Le sourire de Luciano s'évanouit.

— Je pense que tu es une petite garce prête à tout pour obtenir cinq millions de dollars.

Il la scrutait avec mépris.

— Et épargne-moi ces airs de martyr. Ta petite comédie n'a aucune chance de me convaincre. D'accord, j'ai été assez stupide pour me laisser dépouiller il y a sept ans. Mais tu n'imagines tout de même pas que je vais commettre la même erreur aujourd'hui ?

Il jeta un coup d'œil sur sa montre.

— A présent, je vais devoir te laisser. Une délégation d'hommes d'affaires japonais m'attend dans une autre salle de réunion. S'ils sont aussi retors que toi, je peux m'attendre à un après-midi très intéressant...

Kimberley le fixa avec effarement. Il n'avait tout de même pas l'intention d'en rester là ? Si elle le laissait partir maintenant, elle ne le reverrait jamais et elle n'aurait plus aucun espoir de sauver son fils.

— Non !

Submergée par la panique, elle bondit sur ses pieds. Il fallait à tout prix le convaincre de l'aider.

— Tu ne peux pas me renvoyer comme ça, Luciano ! Je t'assure que je te dis la vérité ! Je te donnerai toutes les preuves que tu exigeras. Je suis prête à faire n'importe quoi. Absolument n'importe quoi. Mais je t'en supplie, prête-moi cet argent. S'il te plaît. Je me débrouillerai pour te rembourser. Tu es le seul à pouvoir m'aider. S'il te plaît…

Au comble du désespoir, elle se laissa retomber dans le fauteuil.

Luciano plissa les paupières.

— Pour cinq millions de dollars, tu es prête à faire « absolument n'importe quoi » ?

Kimberley n'eut pas l'ombre d'une hésitation.

— Pour sauver mon enfant, je suis prête à tout.

— C'est une proposition intéressante. Je vais y réfléchir.

Elle sentit son cœur se serrer.

— C'est très urgent.

— Nous sommes au Brésil, *meu amorzinho*, rappela-t-il en se rasseyant en face d'elle. Tu dois te souvenir que, dans ce pays, nous aimons prendre tout notre temps, non ?

Kimberley sentit son cœur s'affoler dans sa poitrine. Quelle était cette lueur étrange dans les yeux de Luciano ? Tout à coup, elle fut ramenée sept ans en arrière. Combien de fois avaient-ils passé l'après-midi à faire l'amour dans la piscine, dans le lit, puis de nouveau dans la piscine… Combien de fois l'après-midi s'était-il prolongé jusqu'au soir, puis le soir jusqu'au lendemain matin ?

Elle déglutit péniblement. Cela avait été une période bénie où ils avaient en effet pris tout leur temps et où elle avait cru avoir la vie devant elle. Malheureusement, cette époque était révolue. Aujourd'hui, le temps lui était compté.

— Le délai qui m'a été accordé expire demain soir, rappela-t-elle d'une voix tremblante.

— Tu crois vraiment que je vais te donner cinq millions de dollars et te laisser filer ?

— Luciano…

— Résumons la situation, d'accord ?

Il se pencha vers elle.

— Si tu es ici, c'est parce que tu as désespérément besoin d'argent et que tu n'as trouvé personne d'autre à escroquer.

Elle voulut protester, mais il ne lui en laissa pas le temps.

— Par ailleurs, tu m'accuses d'avoir lâchement profité de ton innocence il y a sept ans pour te séduire. Pourquoi ne pas reconnaître que je te rendais folle de désir ?

Il se pencha encore, une lueur ironique dans les yeux.

— Et aujourd'hui, pourquoi prétendre que tu as changé ? Pourquoi faire comme si ce désir n'existait plus ? Pourquoi vouloir absolument réprimer le trouble que je fais naître en toi ?

A sa grande honte, Kimberley sentit son visage s'enflammer.

— Non ! Tu te trompes…

— Tu sembles oublier, *minha docura*, que je t'ai connue très intimement. Je reconnais les signes de ton désir. Cette rougeur sur tes joues… Cet éclat dans ton regard… Le frémissement de tes lèvres et la façon dont elles s'entrouvrent dans l'attente d'un baiser.

Kimberley se leva d'un bond.

— Tu es d'une arrogance incroyable !

Sa voix tremblait et ses jambes la soutenaient à peine.

— Je suis tout simplement lucide, répliqua-t-il d'une voix suave. Ce qui n'a jamais été ton cas, apparemment. Pourquoi refuses-tu d'admettre que tu aimes le sexe autant que moi ?

L'estomac noué, Kimberley avait du mal à respirer.

— Pour moi le… le sexe est indissociable de l'amour.

— Si c'est vrai, ça prouve que j'ai raison et que tu manques de lucidité.

Malgré ses efforts pour rester calme, Kimberley sentit des larmes lui brouiller la vue.

— Pourquoi es-tu aussi cynique ? demanda-t-elle.

Il eut un sourire sarcastique.

— Tout de suite les grands mots… Je te répète que je suis tout simplement lucide. Dieu merci, le sexe n'a rien à voir avec l'amour.

Comment avait-elle pu l'aimer ? se demanda Kimberley, atterrée. Ils étaient si différents !

— Je… je te hais.

— Mais non. Cependant, je sais que tu en es sincèrement persuadée. Et c'est ce qui rend ta démarche très révélatrice. Tu donnerais n'importe quoi pour te trouver ailleurs, mais ça ne t'a pas empêchée de venir jusqu'ici pour me réclamer de l'argent. Ça dénote une avidité hors du commun.

Au comble de l'abattement, elle poussa un profond soupir. Comment avait-elle pu imaginer qu'il accepterait de l'aider ? Elle n'aurait jamais dû venir.

— Je t'ai expliqué pourquoi j'avais besoin de cet argent. Si tu ne veux pas me le prêter, nous n'avons plus rien à nous dire.

Elle avait échoué… Qu'allait-elle devenir ? Comment allait-elle réussir à protéger Rio ?

Tout en s'efforçant de surmonter l'angoisse qui la submergeait, elle se dirigea vers la sortie.

— Si tu franchis cette porte, tu ne seras plus jamais autorisée à remettre les pieds ici. Reviens t'asseoir.

La main sur la poignée, Kimberley tressaillit. Que voulait-il ? Aurait-il changé d'avis ? Pourquoi lui intimerait-il de rester s'il n'avait pas l'intention de lui prêter l'argent ? Le cœur battant, elle se tourna pour le regarder.

— Je t'ai dit de revenir t'asseoir.

Elle se dirigea vers lui, puis se maudit aussitôt. Pourquoi lui obéissait-elle docilement ? Allait-elle recommencer comme autrefois à se plier à chacune de ses volontés ?

Relevant le menton, elle le regarda d'un air de défi.

— J'attends de toi une réponse simple, Luciano. Oui ou non.

Que je m'assoie ou que je reste debout n'a aucune importance. Toutes les informations dont tu as besoin se trouvent dans la lettre que tu as lue.

Il darda sur elle un regard pénétrant.

— Je me moque de la fable que tu m'as racontée, *meu amorzinho.* Ce qui m'intéresse, c'est que tu sois prête à faire « absolument n'importe quoi » pour cinq millions de dollars. Dès que j'aurai décidé s'il y a quelque chose que tu peux faire pour moi, je t'en informerai.

3.

De retour dans sa chambre d'hôtel, Kimberley enleva sa veste et se laissa tomber sur le lit.

Qu'allait-il se passer à présent ? A quoi jouait Luciano ? Envisageait-il réellement de lui donner l'argent ? Et si oui, qu'allait-il lui demander en échange ?

Seigneur ! Elle allait devenir folle ! Il lui restait moins de vingt-quatre heures pour déposer cinq millions de dollars sur le compte que lui avait indiqué le maître chanteur.

Fermant les yeux, elle inspira profondément pour tenter de retrouver un semblant de calme. Pour elle, c'était une véritable torture d'être séparée de son fils. D'ailleurs, elle avait bien cru qu'elle ne trouverait jamais le courage de le quitter. Mais l'emmener avec elle n'aurait pas été prudent. Il était plus en sécurité à Londres avec Jason. Et de toute façon, elle ne comptait pas rester à Rio plus de deux jours. Ensuite…

Elle s'efforça de surmonter l'angoisse qui lui nouait l'estomac. Que ferait-elle si Luciano ne lui donnait pas l'argent ? Jusqu'à présent, elle avait préféré ne pas envisager cette éventualité. Mais si demain elle n'avait pas de nouvelles de lui…

Oh, si seulement elle pouvait se réveiller et découvrir que tout cela n'était qu'un affreux cauchemar ! Elle ne parvenait toujours pas à s'expliquer comment quelqu'un avait pu découvrir que Luciano Santoro était le père de Rio. Avec toutes les précautions qu'elle avait prises…

Que faisait son fils, en ce moment ? se demanda-t-elle en étouffant un sanglot. Heureusement que Jason était là pour s'en occuper ! C'était la seule personne au monde en qui elle avait confiance, et Rio l'adorait.

Au moment où elle le sortait de son sac, son portable sonna. Elle consulta le numéro affiché et répondit aussitôt.

— Rio va bien ? demanda-t-elle avec anxiété.

— Très bien, répondit sobrement la voix familière de Jason. Ne t'inquiète pas. Et de ton côté, comment ça va ? Les nouvelles sont bonnes ?

Ils étaient convenus de rester très vagues lors de leurs conversations téléphoniques.

— Ni bonnes ni mauvaises, pour l'instant.

— Ne me dis pas qu'il a refusé de te recevoir !

— Non, je l'ai vu, mais… il ne m'a pas encore donné de réponse. Je viens de rentrer à l'hôtel et je m'apprêtais à t'appeler.

— J'espère qu'il a au moins eu l'élégance d'implorer ton pardon pour sa conduite passée.

— Pas exactement…

Jason eut un petit rire désabusé.

— Patiente un peu. Si d'ici une heure il n'est pas venu tambouriner à ta porte, c'est qu'il n'est plus l'homme que tu m'as décrit.

Luciano, tambouriner à sa porte ? Quelle idée ! Malgré son angoisse, Kimberley faillit pouffer. Luciano Santoro n'était pas le genre d'homme à se déplacer pour tambouriner à la porte d'une femme !

— J'aimerais avoir ton optimisme, Jason. Malheureusement, ce n'est pas le cas. Et s'il refuse de me donner l'argent ?

— Il va te le donner.

La voix de Jason était ferme.

— Garde courage et tout se passera bien, tu verras.

Après avoir raccroché, Kimberley se rallongea sur le lit en fermant les yeux. Quelle chaleur étouffante ! Avait-elle eu raison de réserver une chambre dans cet hôtel modeste dépourvu d'air conditionné ? Sur le moment, elle avait préféré limiter ses dépenses. Mais à présent, avec cette migraine qui lui vrillait les tempes, elle aspirait à un peu plus de confort. D'autant plus qu'elle n'avait pratiquement pas dormi depuis qu'elle avait reçu la lettre du maître chanteur, deux jours plus tôt.

Elle avait arpenté sans relâche son petit appartement londonien en discutant avec Jason de la conduite à adopter. Quand Rio était à l'école ou endormi, bien sûr. Parce qu'en sa présence il avait fallu se comporter comme si de rien n'était. Elle avait dû faire appel à toute sa volonté pour ne pas laisser transparaître sa terreur.

Mais le plus difficile avait été de partir sans lui.

A part les moments qu'il passait à l'école ou en compagnie de ses camarades, il était toujours auprès d'elle. Jason, photographe de mode réputé qu'elle avait rencontré à l'époque où elle était mannequin, l'avait poussée à s'installer à son compte. Il l'avait mise en relation avec plusieurs créateurs pour qui elle dessinait à présent des bijoux.

Ce travail était une véritable bénédiction. Non seulement il la passionnait, mais il lui permettait de rester chez elle et d'être toujours disponible pour Rio.

Elle poussa un soupir. Bien sûr, elle se sentait coupable de l'avoir privé de son père. Cependant, elle était persuadée que c'était mieux pour lui. Les hommes comme Luciano ou comme son propre père n'étaient pas faits pour la paternité. Seul le jeu de la séduction les intéressait et ils étaient incapables de s'engager à long terme. Elle avait été trop malheureuse pendant toute son enfance. Il n'était pas question que son fils connaisse la même souffrance.

Incapable de supporter plus longtemps l'atmosphère suffocante qui régnait dans la chambre, elle se leva et se déshabilla avant de se rendre dans la minuscule salle de bains.

La cabine de douche était si exiguë qu'elle n'eut pas envie de s'y attarder. Toutefois, l'eau fraîche la soulagea un peu. Une fois sèche, elle enfila des dessous propres et s'allongea de nouveau sur le lit.

— Je suppose que tu as choisi avec soin cet hôtel sordide dans le but de m'apitoyer et de mieux m'escroquer.

La voix moqueuse de Luciano la fit bondir sur ses pieds. Elle n'avait même pas entendu la porte s'ouvrir !

— Que fais-tu ici ?

Au comble de l'embarras, Kimberley saisit son peignoir d'un geste vif et s'enveloppa dedans. Pourquoi fallait-il qu'il la surprenne dans cet état ? Ses cheveux mouillés pendaient lamentablement de chaque côté de son visage et elle ne s'était pas remaquillée…

— Tu aurais pu frapper !

— Et toi, tu aurais dû verrouiller ta porte, rétorqua-t-il en pénétrant dans la chambre.

Il referma derrière lui et fit tourner la clé dans la serrure avec une lenteur délibérée.

— Dans ce quartier où même la police évite de s'aventurer, on n'est jamais trop prudent.

Les mains tremblantes, Kimberley noua la ceinture de son peignoir.

— Que fais-tu ici ? demanda-t-elle.

— J'ai eu l'impression que tu voulais une réponse rapide à ta demande de fonds.

Il traversa la pièce en deux enjambées et regarda par la fenêtre la rue étroite jonchée d'ordures. Puis il se retourna lentement vers elle. Dans le contre-jour, elle ne distinguait pas son expression.

— Si tu n'as vraiment pas les moyens de loger ailleurs, je suis étonné que tu n'essaies pas de m'extorquer plus de cinq millions, ironisa-t-il.

Le souffle court, Kimberley resta silencieuse. Le corps athlétique de Luciano semblait remplir toute la pièce... Ses épais cheveux noirs effleuraient le col de sa chemise de soie blanche, et malgré son costume impeccablement coupé, il ressemblait plus à un voyou qu'à un homme d'affaires.

A son grand dam, elle sentit les pointes de ses seins se dresser sous le fin tissu de son peignoir. Seigneur ! Pourquoi était-elle toujours aussi attirée par lui ?

Mortifiée, elle croisa les bras. Peu importait le trouble qu'il provoquait en elle. L'essentiel, c'était qu'il lui prête l'argent dont elle avait besoin. Se serait-il déplacé s'il avait l'intention de lui refuser son aide ? Sans doute pas. Il se serait contenté de lui téléphoner ou de lui envoyer un de ses sous-fifres.

— Je t'ai déjà expliqué que cet argent n'était pas pour moi, finit-elle par déclarer d'une voix mal assurée. Je ne sais pas quoi te dire de plus pour te convaincre.

— Je me moque de ce que tu comptes faire de mon argent. Ce qui m'intéresse, c'est ce que tu vas me donner en échange.

Kimberley déglutit péniblement.

— Je ne comprends pas...

Il s'approcha d'elle.

— Vraiment ?

Elle sentit son cœur s'affoler dans sa poitrine. Que voulait-il ? Elle ne possédait rien qui puisse l'intéresser. A moins que... Non. C'était impossible... Pas son fils ! Pourquoi voudrait-il... ? Pour la punir ? Non !

S'efforçant de ne pas céder à la panique, elle demanda d'une voix étranglée :

— Que veux-tu ?

Pas Rio. Par pitié, pas Rio…

Il s'approcha encore et glissa les doigts dans ses cheveux en plongeant son regard dans le sien.

— Toi, *minha docura*. Dans mon lit. Comme autrefois. Jusqu'à ce que je décide de te laisser partir.

Il y eut un long silence.

Luciano n'avait pas l'intention de lui enlever Rio… Au soulagement de Kimberley se mêla bientôt une profonde stupéfaction. Avait-elle bien entendu ? Non, ce n'était pas possible, elle avait dû mal comprendre.

— Tu veux dire que tu es prêt à me donner l'argent si j'accepte de… dormir avec toi ?

Il eut un sourire amusé.

— Dormir n'est pas précisément ce que j'ai en tête.

A son grand dam, Kimberley fut transpercée par une flèche de désir.

Elle recula d'un pas.

— C'est hors de question.

— Pourquoi ?

— Pourquoi ? s'exclama-t-elle avec indignation. Parce que c'est une idée scandaleuse ! Je n'arrive pas à croire que tu oses me proposer un marché aussi ignoble. Pour qui me prends-tu ?

— Pour une femme qui a besoin de cinq millions de dollars et qui est prête à faire « absolument n'importe quoi » pour les obtenir. Ce que je te propose n'est qu'un échange de bons procédés. Je ne vois rien de scandaleux là-dedans. Au contraire. Tu devrais plutôt me remercier. Après tout, tu gagnes sur tous les tableaux.

Il se rapprocha d'elle.

— Ose me dire que tu n'éprouves plus aucun désir pour

moi. Que tu ne brûles pas d'envie de te retrouver nue dans un lit avec moi…

Kimberley déglutit péniblement. Cette situation était insensée. Le pire, c'était que Luciano avait raison. Elle avait à la fois besoin d'argent et envie de lui. Décidément, il était machiavélique… Si elle refusait sa proposition, elle mettait la vie de son fils en danger. Si elle l'acceptait, elle perdait sa dignité. Et la sérénité qu'elle avait eu tant de mal à recouvrer après leur rupture…

Certes, elle avait changé. Elle était beaucoup moins naïve et ne se faisait plus aucune illusion au sujet de Luciano. Pourtant, il la troublait toujours autant. Comment était-ce possible ? Comment pouvait-elle être aussi stupide ?

Mais peu importait. Ce n'était pas d'elle qu'il s'agissait. Ses états d'âme, sa dignité, sa vie même n'avaient aucune importance. La seule chose qui comptait, c'était de sauver Rio. Inutile de tergiverser puisqu'elle n'avait pas le choix.

— Alors, *meu amorzinho*, tu te décides ?

Seigneur ! C'était insensé ! Elle ne pourrait jamais se résoudre à…

— Je… J'ai besoin de temps pour réfléchir.

— Je t'accorde dix secondes.

— Dix secondes ? C'est ridicule ! Tu ne peux pas exiger que je me décide aussi rapidement !

— Je croyais que tu avais besoin de l'argent au plus vite. Le maître chanteur est pressé, non ? demanda-t-il avec une ironie grinçante.

Kimberley le regarda avec désespoir. N'y avait-il donc pas le moindre soupçon d'humanité chez lui ?

— Pourquoi ?

Cette question sonna comme une supplication dans la bouche de Kimberley.

— Pourquoi voudrais-tu encore de moi ? Tu m'as dit qu'avec toi les femmes n'avaient droit qu'à une seule chance.

Luciano haussa les épaules.

— C'est très simple. J'ai envie de toi.

Il jeta un coup d'œil à sa montre.

— Ton délai de réflexion a expiré, *meu amorzinho.* Alors, c'est oui ou c'est non ?

Kimberley dut se retenir pour ne pas le gifler. Quel goujat ! Comment pouvait-il être aussi odieux ? Si elle l'avait pu, elle l'aurait planté là sans même daigner lui répondre. Malheureusement, elle ne pouvait pas se le permettre.

— Tu ne me laisses pas le choix, dit-elle d'un ton las. Je me coucherai docilement dans ton lit, puisque c'est ce que tu veux. Mais je te préviens. Je ne suis plus la jeune gourde innocente que tu as séduite il y a sept ans. Tu ne pourras plus jouer avec moi comme autrefois.

Ce n'était pas parce qu'elle venait d'accepter son ignoble marché qu'elle était obligée de s'aplatir devant lui, songea-t-elle avec colère. Leur arrangement ne prévoyait pas qu'elle devait se montrer aimable.

Ce qui était heureux, parce qu'elle se sentait pleine de rage…

Luciano darda sur elle un regard brûlant.

— Même les mains attachées dans le dos, je serais capable de faire ce que je veux de toi.

Elle releva le menton.

— Tu peux m'obliger à te suivre dans ton lit, mais pas à y éprouver du plaisir.

— Tu en es sûre ?

Avant qu'elle ait le temps de deviner son intention, il s'empara de sa bouche, forçant le barrage de ses lèvres d'une langue impérieuse.

Subjuguée par l'impétuosité de son assaut, Kimberley sentit

tout son corps s'embraser. Il l'avait toujours embrassée avec une habileté diabolique !

S'abandonnant dans ses bras, elle lui rendit son baiser avec une ardeur qui ne laissait aucun doute sur l'intensité de son désir.

Avec un grognement de satisfaction, Luciano approfondit l'exploration de sa bouche tout en faisant glisser les mains le long de son dos. Les refermant sur ses hanches, il la plaqua avec vigueur contre sa virilité triomphante. Laissant échapper un gémissement, elle se mit à onduler contre lui avec frénésie.

Les sens en ébullition, elle poussa un cri de protestation quand il s'arracha à sa bouche, la laissant tremblante et haletante.

Il la lâcha si brusquement qu'elle faillit tomber.

— Tu es toujours certaine que tu n'éprouveras pas de plaisir, une fois dans mon lit ?

Vacillante, s'efforçant de réprimer le feu que ce baiser avait allumé en elle, Kimberley fit un effort désespéré pour reprendre son sang-froid. Quelle humiliation ! Il était toujours capable de lui faire perdre la tête en un quart de seconde…

— Merci de me rappeler que je te hais, dit-elle d'une voix tremblante de colère.

Il eut un haussement d'épaules indiquant qu'il se moquait éperdument de ce qu'elle pouvait ressentir.

— Si ça t'arrange de le croire… Mais ça n'empêche pas ta vraie nature de reprendre le dessus dès que je te touche. Si je n'avais pas mis fin à ce baiser, tu m'aurais supplié à genoux de te prendre ici et maintenant.

Cette fois, piquée au vif, elle le gifla. Avec une telle force qu'elle sentit des picotements au creux de sa paume. Atterrée par la violence de sa réaction, elle s'écarta de lui en laissant échapper un petit cri horrifié.

Que lui arrivait-il ? Jamais elle n'avait levé la main sur personne. Mais aussi, pourquoi prenait-il un malin plaisir à l'humilier ? Pourquoi éprouvait-il le besoin de lui rappeler avec quelle ardeur elle réagissait à ses caresses, autrefois ?

Plus question de tomber dans ce piège. Quoi qu'il arrive à présent, quoi qu'il fasse, quoi qu'il dise, elle garderait son sang-froid, se promit-elle. Pas question de lui donner la satisfaction de constater qu'il n'avait rien perdu de son pouvoir sur elle.

Quoi qu'il lui en coûte, elle resterait inerte dans ses bras.

— Tu te trompes, déclara-t-elle d'un ton posé. Si je devais te supplier, ce serait pour que tu me laisses tranquille. J'aurais quitté cette pièce depuis longtemps si je n'avais pas besoin de ton aide.

D'un air songeur, Luciano passa les doigts sur la marque rouge qui colorait sa joue

— C'est toi qui te trompes et je suis très impatient de te le prouver, *meu amorzinho.*

— Tu ne tarderas pas à découvrir quelle femme je suis réellement. J'espère pour toi que tu ne seras pas trop déçu, parce que tu n'auras pas la possibilité de te faire rembourser.

Très fière de la fermeté de sa voix, Kimberley releva le menton avec fierté :

— Mais passons aux détails pratiques. Combien de temps comptes-tu faire durer cette comédie ?

— Jusqu'à ce que j'en aie assez de toi.

— Je te rappelle que j'ai un fils et qu'il faut que je rentre pour être auprès de lui. Je n'ai pas l'intention de m'éterniser ici.

— Je ne veux plus entendre parler de ce « fils ». Et si tu veux un conseil, la prochaine fois que tu inventeras une histoire aussi ridicule pour escroquer un de tes anciens amants, évite d'attendre sept ans avant de te décider.

Que faire pour le convaincre de l'existence de Rio ? se demanda Kimberley en le fixant avec effarement.

Mais après tout, peu importait qu'il la croie ou non. L'essentiel, c'était qu'il ait accepté de lui avancer l'argent.

A condition qu'elle reprenne le chemin de son lit…

Elle ferma les yeux. Malheureusement, il n'y avait pas d'autre solution. Qui d'autre pourrait lui donner cinq millions de dollars sans sourciller ?

Il n'y avait plus qu'à se soumettre à sa volonté. Rio pourrait se passer d'elle encore quelque temps, se dit-elle avec fermeté en s'efforçant d'ignorer l'émotion qui lui nouait la gorge. Jason était comme un père pour lui. Il le protégerait. Quant à elle… Elle ne pouvait s'empêcher d'avoir le sentiment qu'elle était à présent beaucoup plus en danger que son fils…

Elle rouvrit les yeux.

— Deux semaines. Je ne peux pas rester plus de deux semaines.

Elle avait besoin de fixer une échéance. De savoir quand elle retrouverait son fils.

— Et je n'ai presque rien apporté. Il va falloir que j'achète des vêtements, ajouta-t-elle, fière de son ton désinvolte.

Luciano eut ce sourire enjôleur qui ne manquait jamais d'accélérer les battements de son cœur.

— Pour l'instant, habille-toi, nous partons. Et ne t'inquiète pas pour les vêtements. Tu n'en auras pas besoin.

— Mais…

— Ma voiture est garée devant l'hôtel et elle attire l'attention. Alors, à moins que tu n'aies envie de renouveler l'expérience de notre première rencontre et d'assister à une bagarre, habille-toi et partons d'ici.

Sans doute avait-il raison, se dit Kimberley. Il connaissait bien les aspects les plus sombres de Rio de Janeiro. Cependant, elle n'avait jamais su s'il fallait croire la rumeur selon laquelle Luciano Santoro s'était sorti tout seul des favelas, les fameux bidonvilles, pour devenir un des hommes d'affaires les plus prospères de la planète.

Pour la bonne raison que Luciano ne parlait jamais de lui.

Il discutait volontiers des subtilités de la stratégie d'entreprise ou des marchés financiers, mais il éludait toujours adroitement les questions d'ordre personnel. L'homme restait une énigme. Ce qui avait pour effet d'accroître la fascination qu'il exerçait sur les médias.

Et sur les femmes…

Kimberley prit ses vêtements et se réfugia dans la salle de bains, où elle s'habilla en hâte. Elle enroula ses cheveux en chignon, boutonna la veste de son tailleur, puis adressa un pâle sourire à son reflet dans le miroir. C'était un arrangement. Rien de plus.

Elle ne supplierait pas Luciano à genoux. Elle ne crierait pas de plaisir dans ses bras. Et surtout, elle ne tomberait pas amoureuse de lui.

Malgré sa nervosité, elle faillit pouffer. C'était bien la seule chose dont elle était certaine ! Il n'y avait absolument aucun risque qu'elle tombe de nouveau amoureuse d'un homme aussi odieux. Cette fois, quand elle quitterait Rio de Janeiro, ce serait le cœur en fête.

Rassérénée par cette pensée, elle ouvrit la porte de la salle de bains.

— On y va ? lança-t-elle avec désinvolture.

Ils quittèrent la chambre.

Sur le palier, Luciano jeta un regard dédaigneux à l'ascenseur.

— Pas question de risquer de rester bloqués dans cet engin antédiluvien. Je n'arrive pas à comprendre comment tu as pu choisir un hôtel aussi minable.

— Il a du charme, répondit-elle d'un ton enjoué.

Et il correspondait parfaitement à son budget, ajouta-t-elle in petto.

Un sourire félin se dessina sur les lèvres de Luciano.

— Si tu es sincère, je ne vais pas avoir besoin de me donner beaucoup de mal pour t'impressionner.

Seigneur ! Pourquoi était-il aussi irrésistible ? se demanda-t-elle en s'efforçant d'ignorer les battements précipités de son cœur.

— Que tu te donnes du mal ou non, tu ne parviendras plus jamais à m'impressionner, rétorqua-t-elle en le suivant dans l'escalier.

Une longue limousine noire était garée le long du trottoir devant l'hôtel. Le chauffeur en sortit pour ouvrir la portière, tandis qu'un garde du corps surveillait la rue.

Kimberley sentit son estomac se nouer. Ayant pu constater que Luciano était parfaitement capable de se défendre en cas d'agression, il ne lui était jamais venu à l'esprit, autrefois, qu'il pouvait avoir besoin d'une protection rapprochée. Quelle naïveté ! Il pouvait être la cible d'adversaires bien plus redoutables qu'une bande de voyous… Elle réprima un frisson en songeant à la lettre qui se trouvait dans son sac.

— Allons-y, dit-il en la prenant par le coude.

— Je n'ai pas réglé ma note, se rappela-t-elle soudain.

— Ne me dis pas qu'il faut payer pour loger dans cet endroit infâme ?

Une lueur malicieuse dansa dans ses yeux noirs.

— Mon assistante fera le nécessaire, ajouta Luciano en l'entraînant vers la limousine. Il vaut mieux ne pas trop nous attarder. A moins que tu ne veuilles que ta photo s'étale dès demain à la une des journaux ?

Allons bon… Elle avait oublié que les paparazzi affectionnaient particulièrement Luciano. Surtout quand il était en compagnie d'une femme…

Tout à coup, elle fut éblouie par des flashs.

4.

— Monte dans la voiture, lui intima Luciano.

Kimberley s'assit à l'arrière du luxueux véhicule aux vitres teintées, tandis que le garde du corps éloignait les photographes.

— Ces fichus journalistes ne me laissent pas un seul instant de répit, commenta Luciano avec une moue désabusée en s'installant à côté d'elle.

Dès que le garde du corps les eut rejoints, le chauffeur démarra.

— Si tu te promenais dans une voiture un peu plus discrète, tu pourrais peut-être passer davantage inaperçu, rétorqua-t-elle.

Mais non, se corrigea-t-elle aussitôt. Il était impossible pour Luciano Santoro de passer inaperçu. Sa réussite exceptionnelle et son charme irrésistible faisaient de lui une véritable star. Sans parler du nombre impressionnant de ses conquêtes amoureuses. Chaque fois qu'il était vu en compagnie d'une nouvelle femme, la presse people s'en donnait à cœur joie.

Elle n'y avait pas échappé, sept ans plus tôt. Même s'il ne lui avait jamais fait l'honneur de l'inviter au restaurant ou de l'emmener dans une soirée… Les paparazzi avaient réussi à prendre plusieurs clichés d'elle en train de monter ou de descendre de voiture.

Mais surtout, c'était par les médias qu'elle avait appris qu'il la trompait pendant qu'elle l'attendait sagement chez lui…

— Ma voiture n'est peut-être pas discrète, mais elle est très pratique, répliqua-t-il d'une voix caressante. Une fois à l'intérieur, on est protégé des regards indiscrets et de la chaleur. C'est le miracle des vitres teintées et de l'air conditionné. Tu ne trouves pas qu'on y est bien ? Comme dans un petit nid d'amour…

Dardant sur elle un regard brûlant, il saisit une de ses mèches et l'enroula autour de ses longs doigts hâlés.

Le cœur de Kimberley se mit à battre la chamade, tandis qu'un long frisson la parcourait. A vrai dire, la chaleur qu'elle craignait le plus, ce n'était pas celle des rues de Rio, songeat-elle en déglutissant péniblement.

Elle sentit la main de Luciano s'enfoncer dans ses cheveux et lui saisir la nuque. Elle resta immobile, électrisée par le désir qui brillait dans ses yeux noirs.

Ça commençait toujours ainsi. Par sa main dans ses cheveux… Ses doigts jouaient d'abord de manière désinvolte avec une mèche, puis s'enfonçaient dans la masse de ses boucles et se refermaient sur sa nuque. Juste avant que sa bouche ne s'empare de la sienne…

Kimberley sentit une chaleur intense se répandre dans tout son corps. Sa gorge se noua et son buste se pencha en avant, mû par une force indépendante de sa volonté. Ses lèvres frémissantes s'entrouvrirent, irrésistiblement attirées par celles de Luciano. Elle gardait un souvenir si éblouissant des baisers que lui donnait cette bouche sensuelle…

Tout à coup, elle recouvra la raison et se redressa d'un mouvement vif.

— Ne me touche pas !

— C'est justement pour avoir ce privilège que je te paie.

Luciano promena un regard moqueur sur son visage.

— C'est curieux, tu as les joues en feu... Pourtant, l'air conditionné fonctionne parfaitement. Je me demande ce qui t'arrive...

Kimberley tenta de reculer sur le siège, mais elle se heurta à la portière.

— Allons, *meu amorzinho*, pourquoi t'obstiner à lutter contre toi-même ? demanda-t-il d'un ton moqueur. Tu brûles de désir pour moi et tu finiras tôt ou tard par le reconnaître.

— Tu surestimes ton pouvoir de séduction !

Eclatant d'un rire sonore, il s'écarta d'elle.

Malheureusement, le fait qu'il lui laisse un peu d'espace n'atténuait en rien le feu qui la consumait, constata-t-elle avec désespoir. La voiture avait beau être spacieuse, il était impossible d'ignorer la proximité de ce corps souple et musclé.

La sonnerie du portable de Luciano la fit tressaillir. Il répondit aussitôt en brésilien, puis passa à l'italien dès qu'il eut identifié son correspondant.

Elle l'observa à la dérobée, impressionnée malgré elle par l'aisance manifeste avec laquelle il discutait dans cette langue.

Quand elle était mannequin, et même encore aujourd'hui, elle avait eu l'occasion de rencontrer beaucoup d'hommes à la fois séduisants et intelligents, qui pouvaient s'enorgueillir d'une brillante réussite professionnelle. Cependant, aucun d'entre eux ne l'avait troublée autant que Luciano Santoro. Pourquoi ? Qu'avait-il donc de si spécial ? Pourquoi l'attirait-il à ce point alors qu'elle avait parfaitement conscience de ses innombrables défauts ?

Il referma son portable d'un coup sec et lui jeta un regard songeur.

— Combien de langues parles-tu ? demanda-t-elle pour se donner une contenance.

Il haussa les épaules.

— Ma société ayant des filiales dans le monde entier, il est normal que j'en parle un certain nombre.

Il était toujours aussi doué pour éluder les questions ! Exaspérée, Kimberley leva les yeux au ciel.

— De toute façon, tes capacités en matière de conversation sont si limitées que tu ne dois pas avoir besoin d'un vocabulaire très étendu, ironisa-t-elle.

Il remit son portable dans sa poche en riant.

— Je ne te connaissais pas cette impertinence. Il est vrai qu'au cours du mois que nous avons passé ensemble tu as surtout laissé s'exprimer ta sensualité.

Kimberley serra les dents. S'il pouvait éviter de lui rappeler sans cesse l'ardeur dont elle faisait preuve à l'époque… Elle était alors si éperdument amoureuse de lui qu'il ne lui serait jamais venu à l'esprit de réprimer ses élans.

Elle réprima un soupir. C'était avant de prendre conscience que Luciano Santoro n'était pas l'homme qu'elle croyait. Avant de savoir qu'il était incapable d'éprouver le moindre sentiment. Et donc de partager les siens…

— C'était dû à l'attrait de la nouveauté, déclara-t-elle d'une voix crispée.

— L'attrait de la nouveauté ?

A en juger par son sourire, il n'était pas dupe, comprit-elle avec irritation.

— Bien sûr. Je te rappelle que j'étais jeune et que tu étais mon premier amant. C'est pour ça que j'étais aussi… passionnée. Je l'aurais été avec n'importe qui.

— Tu crois vraiment ?

Il se pencha vers elle, les yeux étincelants.

— En tout cas, une chose est certaine. Aujourd'hui, tu vas enrichir ton expérience, *meu amorzinho*. Et découvrir en toi des trésors de sensualité que tu ne soupçonnes pas encore.

Kimberley sentit son cœur s'affoler dans sa poitrine. Non !

Il fallait absolument qu'elle garde son sang-froid ! L'excitation intense qui l'envahissait la terrorisait.

— Comme tu le dis toi-même, tu n'es plus une jeune fille innocente, poursuivit Luciano d'une voix rauque. J'ai hâte de découvrir la femme que tu es devenue et de l'honorer sans la retenue dont je me sentais obligé de faire preuve autrefois.

Des souvenirs brûlants assaillirent soudain Kimberley. En quoi faisait-il preuve de retenue autrefois ? Leur désir mutuel était insatiable et leurs ébats explosifs. Non, elle ne gardait pas le souvenir de la moindre retenue…

Qu'avait-il à l'esprit aujourd'hui ?

Elle déglutit péniblement. Seigneur ! Pourquoi tout son corps était-il en feu ? Elle aurait tellement voulu ne rien ressentir ! Rester complètement froide face à lui. Malheureusement, elle ne s'appartenait déjà plus…

Dire qu'elle croyait en avoir fini pour toujours avec ce feu dévastateur !

Depuis sept ans, elle se consacrait entièrement à son fils, déterminée à lui offrir une vie heureuse et équilibrée. Pas une seule fois au cours de toutes ces années elle n'avait éprouvé la moindre attirance pour un homme.

Sa liaison avec Luciano l'avait anéantie. Il lui avait fallu si longtemps pour se remettre de leur rupture qu'elle était persuadée d'en avoir fini avec l'amour et d'être à jamais incapable de ressentir la moindre étincelle de désir.

Et voilà qu'aujourd'hui elle découvrait que le feu destructeur qui l'avait consumée autrefois n'était pas éteint. La seule présence de Luciano avait suffi à le ranimer.

Certes. Mais c'était un phénomène purement physique, se dit-elle pour se rassurer. Rien de plus.

Ses sens endormis se réveillaient après une longue période d'abstinence. Et alors ? Ce n'était pas un drame. C'était peut-être même une excellente nouvelle, après tout.

Elle avait changé. La jeune fille innocente d'autrefois était devenue une femme avertie. N'ayant plus aucune illusion au sujet de Luciano, elle ne risquait pas de se raconter de nouveau un conte de fées. Et s'il avait le pouvoir de lui faire redécouvrir le plaisir, pourquoi ne pas en profiter ?

Après tout, c'était une excellente occasion de clore ce chapitre de sa vie. Et peut-être même que, de retour à Londres, elle serait enfin prête à rencontrer un homme capable de partager avec elle un amour véritable.

Rassérénée, elle demanda avec le plus grand calme :

— Où allons-nous ?

— Je dois repasser à mon bureau et, de là, nous prendrons l'hélicoptère pour l'île.

A son grand dam, Kimberley eut un pincement au cœur. A l'ouest de Rio, face à la superbe Côte d'Emeraude, plusieurs îles parsemaient l'océan : l'une d'elles appartenait à Luciano.

— Et ton travail ? demanda-t-elle en s'efforçant de prendre un air dégagé.

— Ne t'inquiète pas pour ça.

Kimberley réprima un soupir. Pourquoi fallait-il qu'il l'emmène là-bas ? Sept ans auparavant, ils y avaient vécu un mois de folie, isolés du monde. Elle y avait passé les moments les plus merveilleux de sa vie. Follement amoureuse de Luciano, éblouie par la beauté du paysage, elle pensait avoir trouvé le bonheur et n'imaginait plus vivre ailleurs.

Pour elle, trop de souvenirs étaient rattachés à ce lieu magique. Elle n'avait aucune envie d'y retourner…

Prenant une profonde inspiration, elle déclara :

— Je suppose que tu as toujours une multitude d'autres résidences. Pourquoi n'irions-nous pas ailleurs ?

Quelque part où le passé ne risquerait pas de lui sauter à la gorge… Où le décor ne lui rappellerait pas à chaque instant qu'elle avait été naïve au point de croire que le prince charmant n'existait pas que dans les contes de fées…

Luciano possédait plusieurs propriétés au Brésil, ainsi que des appartements un peu partout dans le monde. New York, Paris, Genève… Mais pas à Londres, curieusement. D'ailleurs, c'était en partie pour cette raison qu'elle avait décidé de s'y installer. Bien sûr, il lui arrivait d'y passer pour ses affaires, mais elle savait qu'il ne s'y attardait jamais longtemps.

— Pour ce que nous aurons à faire, l'île est l'endroit idéal, répliqua-t-il avec un sourire amusé. Et de toute façon, il faut que je reste à proximité de Rio pour pouvoir me rendre rapidement au bureau si nécessaire. Même si j'espère pouvoir l'éviter.

Il promena sur elle un regard brûlant.

— A vrai dire, je trouve exaspérant d'être obligé d'y retourner maintenant pour signer des papiers. Si je m'écoutais, je partirais directement sur l'île pour pouvoir enfin te renverser sur mon lit et t'arracher tes vêtements.

Cette déclaration aurait dû indigner Kimberley, mais, à sa grande honte, elle sentit un frisson délicieux la parcourir. Elle se maudit intérieurement. Pourquoi ne parvenait-elle pas à rester insensible au charme vénéneux de cet homme ? Pourquoi se laissait-elle déstabiliser par ses provocations ?

Elle dut faire appel à toute sa volonté pour résister à la vague de désir qui menaçait de la submerger.

Elle serra les dents et regarda par la vitre. Après tout, peu importait ce qu'elle ressentait. Si elle ne parvenait pas à maîtriser les réactions de son corps, du moins était-elle assez lucide pour garder la tête froide. D'accord, c'était l'homme le plus sexy qu'elle avait jamais rencontré et il l'attirait toujours irrésistiblement. Mais il n'y avait aucun risque qu'elle commette la même erreur qu'autrefois. Elle ne donnerait plus son cœur à un homme incapable de ressentir la moindre émotion.

Tout à coup, elle se rendit compte que la voiture venait de

s'arrêter devant le siège de Santoro Investments. Le chauffeur lui ouvrit la portière.

Soudain prise de panique, Kimberley fut tentée de s'enfuir à toutes jambes et de se perdre dans les rues de Rio. Si seulement elle avait pu se le permettre ! Malheureusement, la lettre qui se trouvait dans son sac lui rappelait à chaque instant qu'elle n'avait pas le choix.

Elle avait besoin de cinq millions de dollars et une seule personne pouvait l'aider. Luciano.

Lisait-il dans ses pensées ? se demanda-t-elle stupidement, tandis qu'il la regardait d'un air songeur.

Il vint vers elle et posa la main au creux de ses reins pour l'entraîner vers l'entrée de l'immeuble.

— Traîner sur le trottoir n'est pas recommandé, déclara-t-il en traversant le hall à grandes enjambées.

L'ascenseur était là.

Une fois dans la cabine, Luciano appuya sur un bouton. Les portes se refermèrent, les isolant du monde extérieur. Un silence épais les enveloppa.

S'efforçant de réprimer les frissons qui la parcouraient, Kimberley baissa les yeux. Seigneur ! Après la voiture, l'ascenseur… La proximité du corps puissant de Luciano était si troublante que c'en était presque insupportable. Elle tenta de s'absorber dans la contemplation de ses chaussures, mais au bout de quelques secondes, elle ne put s'empêcher de relever les yeux.

Son regard rencontra celui de Luciano. Electrisée par l'étincelle de désir qui jaillit aussitôt entre eux, Kimberley frissonna.

Au même moment, Luciano la plaqua contre la paroi de l'ascenseur et s'empara de sa bouche avec fougue. Elle répondit à son baiser avec une ardeur égale à la sienne et leurs langues se mêlèrent avec frénésie.

Nouant les bras autour de la nuque de Luciano, Kimberley

enfonça les doigts dans ses épais cheveux noirs, tandis qu'il approfondissait son baiser. Prise de vertige, elle s'abandonna à la vague de désir qui déferlait en elle et laissa échapper un long gémissement modulé.

Sans quitter ses lèvres, Luciano remonta sa jupe sur ses hanches, l'empoigna par les hanches et la plaqua contre lui. Elle en eut le souffle coupé. La virilité gonflée de désir qui pointait contre son ventre semblait prête à déchirer la barrière de tissu qui l'entravait !

Les dernières bribes de raison de Kimberley s'évanouirent, balayées par un instinct primitif d'une force inouïe. Tout son corps vibrait d'un désir si intense qu'il en était douloureux.

Avec des gestes impatients, elle sortit la chemise de Luciano de son pantalon et glissa les mains dessous. Ses doigts fébriles se promenèrent avec délectation sur sa peau brûlante et elle gémit de plaisir contre ses lèvres, tandis que son désir franchissait un nouveau palier.

Elle refoulait depuis si longtemps le feu qui couvait en elle qu'il n'y avait aucun espoir de le contenir. C'était si bon de sentir ce corps viril contre le sien…

Soudain, il déchira sa culotte d'un geste vif et glissa la main entre ses cuisses. Au même instant, l'ascenseur s'immobilisa avec un petit tintement discret. Sans quitter les lèvres de Kimberley, Luciano tendit le bras pour appuyer sur un bouton.

Folle d'excitation, la jeune femme ondulait des hanches contre lui.

— Luciano, s'il te plaît…

Avec un grognement rauque, il honora d'une main experte la fleur humide de sa féminité.

Le plaisir cueillit Kimberley par surprise et lui coupa le souffle. Alors qu'elle était emportée dans un tourbillon de volupté, Luciano continua de l'embrasser tout en enfonçant un doigt au plus profond de sa féminité brûlante. Avec un talent consommé, il prolongea son plaisir, encore et encore. Haletante, Kimberley était secouée de spasmes de volupté toujours plus intenses. Puis, les vagues de plaisir refluèrent peu à peu, la laissant épuisée et hors d'haleine.

Alors seulement, Luciano se détacha de ses lèvres.

Peu à peu, la respiration de Kimberley s'apaisa. Sa vue s'éclaircit. Elle prit soudain conscience de l'endroit où elle se trouvait. Seigneur ! Comment avait-elle pu... ? Dans un ascenseur !

— *Meu Deus...*

Comme s'il venait lui aussi de reprendre pied dans la réalité, Luciano s'écarta d'elle.

— Je ne m'appartiens plus quand je suis avec toi, murmura-t-il.

Sa voix était rauque et ses cheveux ébouriffés par les doigts de Kimberley.

Mortifiée, la jeune femme baissa la tête. Ses boucles flamboyantes ruisselèrent devant son visage. Sans doute était-elle encore plus décoiffée que lui, songea-t-elle en se rajustant. Jamais plus elle ne pourrait le regarder en face...

Comment avait-elle pu se conduire avec une telle indécence ?

Dire qu'elle croyait en avoir définitivement terminé avec le sexe... Depuis sept ans, aucun des hommes qui avaient tenté de la séduire n'avait réussi à déclencher en elle le moindre frémissement. A tel point qu'elle s'était crue immunisée contre le désir. Elle en avait même éprouvé du soulagement, ravie de ne plus courir le risque d'être de nouveau esclave de ses sens.

Quelle naïveté ! Non seulement l'attirance qu'elle éprouvait pour Luciano était toujours aussi incontrôlable, mais elle semblait s'être amplifiée. Comment avait-elle pu perdre de vue qu'ils se trouvaient dans un lieu public ?

Elle leva les yeux vers lui, atterrée.

— Quelqu'un aurait pu appeler l'ascenseur…

Il haussa les épaules.

— Je l'avais bloqué.

Elle se mordit la lèvre. Bien sûr ! Elle aurait dû se douter qu'il avait pris ses précautions. Comme toujours, il avait gardé le contrôle de la situation…

Il effleura sa joue du doigt.

— Allons, ne fais pas cette tête, *meu amorzinho*. Tu as passé un bon moment, non ?

Il se baissa pour ramasser quelque chose par terre.

— Ceci est à toi, je crois.

Kimberley regarda avec horreur la culotte déchirée qu'il lui tendait. Comment avait-elle pu perdre la tête à ce point ? Avant qu'elle ait le temps de reprendre ses esprits, il appuya sur un bouton et les portes de l'ascenseur s'ouvrirent.

Au comble de l'humiliation, elle mit précipitamment sa culotte dans son sac. Quel mufle ! Ne pouvait-il pas lui laisser un peu plus de temps pour recouvrer son sang-froid ? Furieuse, elle darda sur lui un regard noir, tandis qu'il s'éloignait sans plus lui prêter la moindre attention.

Et si elle le plantait là ? Il suffisait d'un geste pour regagner le rez-de-chaussée. Seigneur ! C'était si tentant…

Comment pouvait-il afficher une telle indifférence ? Il était parfaitement détendu et maître de lui-même, comme s'il lui arrivait tous les jours de s'offrir un petit intermède érotique dans l'ascenseur…

Sans doute était-ce le cas, songea-t-elle avec dépit. Mais quelle importance ? Prendre la fuite n'était pas une solution.

Elle sortit de la cabine et ses talons claquèrent sur le sol. Apercevant une porte portant la mention « Dames », elle se précipita aux toilettes pour se recoiffer et se remaquiller.

Lorsqu'elle en ressortit, quelques instants plus tard, elle vit que Luciano parlait avec son assistante, la femme qui l'avait reçue la veille avec une si grande gentillesse.

Elle avait au moins vingt ans de plus que lui, songea Kimberley. Etonnant. Elle l'aurait plutôt imaginé avec une assistante jeune et sexy.

La femme raccrocha le téléphone et adressa à son patron un sourire malicieux.

— La nouvelle de votre départ impromptu fait souffler un vent de panique dans tout l'immeuble.

— Tout est réglé ?

— Il ne vous reste plus qu'à signer ce contrat, puis à vérifier un tableau, répondit-elle en lui tendant une liasse de feuilles. Pour le reste, je me débrouillerai. Je téléphonerai à Milan pour modifier la date de la présentation. Quant à Phil, il sera rentré de New York mercredi prochain, comme vous l'avez demandé.

— L'hélicoptère ?

— Votre pilote vous attend.

Au comble de l'embarras, Kimberley restait en retrait. En dépit de ses efforts pour se redonner une apparence civilisée, elle était certaine que ce qu'ils venaient de faire dans l'ascenseur se lisait sur son visage comme une évidence…

Luciano, lui, ne portait plus aucune trace de cet épisode torride. Il s'était recoiffé et son visage impassible était celui d'un homme d'affaires tout à son travail.

Elle avait presque du mal à croire que c'était bien lui qui l'avait propulsée à des sommets vertigineux de volupté quelques instants plus tôt…

L'assistante adressa un sourire à Kimberley.

— *Como vai você ?* Comment allez-vous ? Mon nom est Maria. Je suis désolée de vous retarder, mais il n'était pas prévu que M. Santoro s'absente la semaine prochaine. Il lui reste juste quelques chiffres à vérifier et ensuite, il sera tout à vous.

Tout à elle ?

Kimberley déglutit péniblement. Que répondre ? L'assistante était-elle au courant de l'arrangement que Luciano et elle avaient conclu ? Elle jeta un coup d'œil à ce dernier, mais il était concentré sur l'écran de l'ordinateur.

Au moment où elle s'apprêtait à bredouiller un vague merci à l'adresse de l'assistante, il fit quelques commentaires concernant les chiffres qu'il venait de vérifier, puis il jeta un coup d'œil impatient à sa montre.

— C'est bon. On peut y aller.

Il se tourna vers Kimberley et la saisit par le poignet pour l'entraîner vers l'escalier qui menait au toit.

Le pilote et un garde du corps, qui attendaient à côté de l'hélicoptère, se mirent presque au garde-à-vous en voyant leur patron arriver. Luciano se dirigea vers eux à grandes enjambées en tirant Kimberley sans ménagement.

— Doucement ! protesta-t-elle en trébuchant.

Il lui lança un regard étincelant.

— Je suis pressé. C'est ça où nous retournons dans l'ascenseur.

— Comment peux-tu être aussi macho ? s'exclama-t-elle avec exaspération. On se croirait à l'âge de pierre !

— Cesse de récriminer. Quand tu seras dans mon lit, tu me supplieras de me montrer encore moins civilisé, répliqua-t-il d'un ton suave en la poussant dans l'hélicoptère.

Elle se laissa tomber sur le siège le plus proche.

— Quel mufle ! Il ne doit pas y avoir beaucoup de femmes qui acceptent de travailler pour toi ! s'exclama-t-elle alors qu'il s'installait à côté d'elle en adressant un signe au pilote.

— Mais si. A commencer par Maria, que tu viens de voir.

— A propos, elle ne correspond pas du tout à l'idée que je me faisais de ton assistante.

Tandis que l'hélicoptère décollait, Luciano attacha sa ceinture en lui jetant un coup d'œil amusé.

— Vraiment ?

— Oui. Je pensais que tu aurais choisi une femme plus jeune. Plus sexy. Et plus sophistiquée. C'est comme ça que tu les aimes, non ?

Kimberley détourna les yeux et regarda dehors. Elle était bien placée pour le savoir, songea-t-elle sombrement.

— Dans les affaires, le secret de la réussite, c'est de bien choisir ses collaborateurs. Il faut être clair et précis dans la description du poste, puis sélectionner la personne la plus compétente parmi celles qui ont le profil recherché, répliqua Luciano d'un ton posé. Or, les qualités que je cherche chez une assistante ne sont pas celles que j'apprécie chez mes maîtresses. Je ne mélange jamais travail et plaisir.

— Que ferais-tu si tu ressentais du désir pour une femme qui travaille pour toi ?

— Je la licencierais avant de coucher avec elle, répliqua-t-il sans la moindre hésitation. Mais je ne vois pas en quoi ça peut t'intéresser. Tu ne travailles pas pour moi. Il n'y a donc aucun obstacle entre nous.

— A part le fait que je ne supporte pas tes manières d'homme de Cro-Magnon.

— Repense à l'ascenseur, suggéra-t-il d'une voix suave. Et souviens-toi pourquoi tu ne portes pas de culotte en ce moment.

Rouge de honte, Kimberley déglutit péniblement.

Comment allait-elle pouvoir rester plusieurs jours en tête à tête avec cet homme ? Jamais elle n'aurait dû accepter cet arrangement odieux.

Soudain submergée par une panique incontrôlable, Kimberley détacha fébrilement sa ceinture de sécurité.

— Je suis désolée, Luciano ! Je ne peux pas t'accompagner !

Il faut que tu m'emmènes à l'aéroport. Je veux rentrer. Mon fils a besoin de moi. C'est la première fois que je le quitte aussi longtemps et…

— Arrête ton cinéma, *meu amorzinho.* L'argent est déjà sur le compte que tu m'as indiqué. Il est trop tard pour renoncer.

La panique de Kimberley redoubla.

— Et si ce n'était pas suffisant ?

Elle se mordit la lèvre.

— Les maîtres chanteurs n'ont-ils pas l'habitude de réclamer toujours plus d'argent ?

Les yeux de Luciano étincelèrent.

— Je pense qu'il faudra un petit moment à notre « maîtresse chanteuse » pour dépenser cinq millions de dollars, tu ne crois pas ?

— Comment oses-tu ? Tout ce que je t'ai dit est vrai !

— Cesse de prendre cet air outragé, tu es ridicule. J'ai rempli ma part du contrat. A présent, à toi d'en faire autant. Et je ne veux plus entendre une seule allusion à un quelconque maître chanteur ni à un pauvre enfant sans défense.

Que pouvait-elle faire ? se demanda Kimberley, au comble du désespoir.

L'hélicoptère avait déjà décollé depuis un bon moment, et, si Luciano disait vrai, l'argent était déjà entre les mains du maître chanteur.

Elle détourna les yeux. Pas question que Luciano puisse voir ses larmes. Puisqu'elle ne pouvait plus reculer, il fallait faire face, et de préférence la tête haute.

Elle devait cesser de s'inquiéter pour Rio, se dit-elle fermement. Il ne pouvait plus rien lui arriver. Par ailleurs, il adorait Jason et c'était réciproque. Tout se passerait bien.

Elle réprima un soupir.

C'était sans doute elle qui souffrait le plus de leur séparation.

Redressant les épaules, elle s'efforça de se ressaisir. Deux semaines. Seulement deux semaines et sa vie reprendrait son cours normal.

Après tout, ça ne devrait pas être si pénible.

Que voulait Luciano ? Du sexe sans amour ? Eh bien, pourquoi pas ?

Elle le laisserait faire tout ce qu'il voudrait. Sans broncher. Sans le supplier ni crier de plaisir. Pas question de lui donner cette satisfaction.

Et quand il finirait par se lasser d'elle, elle s'en irait sans un regard en arrière, aussi désinvolte que lui.

5.

A peine l'hélicoptère eut-il touché le sol que Luciano bondit de son siège. Il aida Kimberley à descendre de l'appareil, puis il l'entraîna vers la villa en la tenant fermement par le poignet.

Le visage impassible, il semblait ne pas avoir conscience des regards perplexes de son pilote et de ses gardes du corps.

En réalité, il était au comble de l'irritation. Lui qui se targuait de toujours garder son sang-froid en toute circonstance ! Jamais il ne s'était senti aussi peu maître de lui-même…

Ou plutôt si. A une seule période de sa vie. Sept ans plus tôt. Quand il avait rencontré Kimberley…

Il réprima un juron. Comme c'était frustrant de se sentir esclave de sa libido ! Bien sûr, il avait un tempérament ardent. Mais d'ordinaire, il parvenait à réprimer son désir en attendant le moment propice pour l'assouvir. Malgré la place importante que tenaient les femmes dans sa vie, elles passaient toujours après son travail.

Jamais il ne lui était arrivé de déplacer des réunions urgentes parce que sa libido le travaillait. Pas étonnant qu'il ait semé la panique parmi ses collaborateurs ! C'était la première fois de sa vie qu'il décidait sur un coup de tête de s'absenter aussi longtemps. La première fois qu'il bouleversait son emploi du temps pour se précipiter au lit avec une femme.

Jamais il ne s'était senti aussi fébrile. Et à en juger par l'air interdit de son pilote et de ses gardes du corps, ça ne passait pas inaperçu.

Depuis que Kimberley avait réapparu dans sa vie, il ne s'appartenait plus. Une seule chose comptait pour lui. La mettre de nouveau dans son lit et l'y garder jusqu'à ce qu'il finisse par se lasser d'elle. Alors seulement, il redeviendrait lui-même et sa vie pourrait reprendre son cours normal.

Pour l'instant, il était incapable de se concentrer sur autre chose. D'où sa décision de mettre ses affaires entre parenthèses pendant quelques jours.

Ce n'était pourtant pas le moment. Même Maria, qui le connaissait mieux que personne et s'attendait à tout de sa part, n'avait pas caché sa stupéfaction quand il lui avait subitement demandé de réorganiser le planning des deux semaines à venir parce qu'il avait décidé de s'absenter.

A vrai dire, il était aussi surpris qu'elle par ce brusque accès de folie. Les discussions concernant le nouveau contrat qu'il était en train de négocier entraient dans une phase cruciale. S'absenter à un moment aussi décisif était totalement irresponsable.

Mais le plus surprenant, c'était qu'il s'en moquait éperdument. Rien au monde ne pourrait le faire revenir sur sa décision. Il était trop impatient de lâcher la bride à ce désir irrépressible qui le torturait. Son étreinte torride dans l'ascenseur avec Kimberley l'avait mis dans un état second. Si immobiliser l'ascenseur plus longtemps n'avait pas risqué d'alerter le service de maintenance, il l'aurait prise sauvagement contre la cloison…

Il crispa la mâchoire. Quel tempérament elle avait ! Il avait rarement rencontré une femme aussi sensuelle. Dire qu'elle osait jouer les prudes !

Elle ne manquait pas d'aplomb. Revenir au bout de sept ans pour lui extorquer de l'argent en invoquant le fils qu'ils avaient prétendument eu ensemble ! Il fallait oser ! Le croyait-elle donc complètement stupide ?

Peu importait. En fin de compte, il était ravi que sa cupidité l'ait ramenée jusqu'à lui. C'était l'occasion d'en finir avec elle et de l'effacer une fois pour toutes de sa mémoire.

Un grand lit dans un endroit isolé où personne ne viendrait les déranger, c'était tout ce dont ils avaient besoin.

Insensible à la beauté du jardin luxuriant qui entourait sa villa, Luciano marchait à grands pas. Il contourna la piscine sans un regard pour l'eau claire qui scintillait au soleil.

Suffoquant de chaleur pour des raisons qui n'étaient pas uniquement liées au climat tropical, Kimberley regarda la piscine avec envie. Comme cette eau limpide était tentante ! Mais, de toute évidence, la baignade n'était pas au programme.

La gorge sèche, elle sentit son pouls s'accélérer. Luciano n'avait visiblement pas l'intention de faire de halte avant d'avoir atteint la chambre. Elle gardait un souvenir très précis de cette pièce. Et pour cause… Sept ans auparavant, elle ne l'avait pratiquement pas quittée pendant un mois.

Assaillie par une foule de souvenirs, elle voulut ralentir, mais Luciano resserra la pression sur son poignet.

Résignée, elle se laissa entraîner. A quoi bon résister ?

Elle avait accepté sa proposition. En échange de cinq millions de dollars, elle s'était engagée à passer deux semaines dans son lit. La seule chose qu'elle pouvait espérer, c'était que ces deux semaines passeraient vite.

Elle était si impatiente de rentrer chez elle. Son fils lui manquait trop.

Et puis, elle avait peur. Terriblement peur de redevenir esclave de ses sens, comme lors de son premier séjour dans cette île.

Quand elle était mannequin, sa carrière passait avant tout. Jamais elle ne manquait une séance de photos. Jamais elle n'arrivait en retard à un rendez-vous. Mais dès qu'elle avait rencontré Luciano, sa vie avait basculé.

D'un seul regard, il lui avait fait perdre la tête. Incapable de se passer de lui, elle avait tout quitté du jour au lendemain.

Aveuglée par son amour, elle ne s'était pas rendu compte qu'il n'éprouvait pour elle que du désir. C'était seulement quand elle l'avait vu en photo dans un magazine, en train d'embrasser une autre femme, qu'elle avait enfin compris son erreur.

Mais aujourd'hui, elle n'avait plus dix-huit ans, se reprit-elle. Malgré le désespoir dans lequel elle avait sombré à l'époque, elle avait réussi à reconstruire sa vie et elle était fière de la femme qu'elle était devenue. Fière de son fils et de la société qu'elle avait créée. Elle ne risquait plus de perdre la tête au point de tout quitter pour Luciano.

D'autant plus qu'elle savait exactement à quoi s'en tenir à son sujet. Même s'il exerçait sur elle une attirance irrésistible, elle savait que son physique sublime cachait un esprit détestable. Son sourire ravageur n'était qu'un moyen de séduction. Jamais le signe d'une quelconque émotion.

Kimberley serra les dents. Luciano lui avait prouvé que, pour lui, le sexe pouvait être dissocié de l'amour. Pourquoi ne serait-elle pas capable, elle aussi, d'éprouver du plaisir sans pour autant tomber amoureuse ?

Assaillie par le souvenir de leur étreinte sauvage dans l'ascenseur, elle fut transpercée par une flèche de désir. Mais oui, elle en était parfaitement capable… Alors pourquoi ne pas profiter de l'aubaine ?

Au même instant, Luciano franchissait la baie vitrée, l'entraînant dans sa chambre qui donnait sur le jardin.

L'immense lit faisait face à la piscine et à la mer. Etait-il toujours garni de draps en coton égyptien, merveilleusement frais et doux sur la peau ? Oui, décidément, elle serait stupide de ne pas savourer son séjour dans ce décor idyllique en compagnie d'un amant exceptionnel.

Un séjour qui s'annonçait d'autant plus agréable qu'il ne risquait pas de s'achever dans les larmes ni le désespoir…

Pour se prouver qu'elle maîtrisait parfaitement la situation, elle se tourna vers Luciano en souriant et indiqua le lit d'un geste désinvolte.

— Eh bien, je crois que nous avons tout ce qu'il nous faut. Si nous passions aux choses sérieuses ?

Il darda sur elle un regard perçant.

— Le sarcasme ne te va pas. C'est une attitude qui ne te ressemble pas du tout.

— Comment peux-tu être aussi catégorique ? rétorqua-t-elle d'un ton léger. Tu crois me connaître, mais tu te trompes. Et de toute façon, nous savons tous les deux que ce n'est pas ma personnalité qui t'intéresse.

Elle s'approcha du lit et laissa tomber son sac dessus.

— Par ailleurs, il me semble t'avoir entendu dire à plusieurs reprises que tu ne m'avais pas payée cinq millions de dollars pour que je te fasse la conversation.

A sa grande satisfaction, elle vit l'incrédulité se peindre sur le visage de Luciano.

Nul doute qu'il s'attendait à ce qu'elle se montre embarrassée. Comme à son habitude, il se préparait à prendre l'initiative des opérations. Mais elle avait réussi à lui couper l'herbe sous le pied. Elle l'avait surpris.

Et il fallait reconnaître que ça faisait un bien fou !

Avec une assurance toute nouvelle, Kimberley commença à déboutonner son chemisier tout en se dirigeant d'un pas nonchalant vers la salle de bains.

— Je prends une douche et je te rejoins dans cinq minutes.

Elle s'en sortait brillamment, se dit-elle avec jubilation en se déshabillant, après avoir refermé la porte derrière elle. Même si c'était Luciano qui lui avait imposé cette situation, il n'y avait aucune raison de le laisser mener la barque.

L'eau de la douche était à la température idéale... Fermant les yeux, elle s'abandonna avec un soupir d'aise à la caresse du jet.

C'était si bon, pour une fois, de contrôler la situation ! songea-t-elle avec une pointe de vanité.

— Bravo pour cette initiative.

Laissant échapper un cri, Kimberley rouvrit les yeux.

Luciano se trouvait à quelques centimètres d'elle. Complètement nu et très excité... Fascinée par le spectacle de sa virilité fièrement dressée, elle fut parcourue d'un long frisson.

— Prendre une douche est une excellente idée, *meu amorzinho.*

Les yeux noirs de Luciano pétillaient de malice.

Il n'était pas censé la rejoindre ! songea-t-elle avec dépit. Il était censé rester paralysé par la stupeur.

Hélas, il semblait au contraire très sûr de lui.

— Je ne t'ai pas invité à te joindre à moi.

Elle déglutit péniblement. Ce torse musclé... Comme il était tentant de passer les doigts dans la toison brune qui le recouvrait ! Et mieux valait ne pas laisser son regard s'aventurer plus bas... Le témoignage flagrant de son désir était trop troublant.

— Nous avons conclu un accord et j'ai bien l'intention de l'honorer, poursuivit Kimberley d'un ton qu'elle espérait posé. Ne t'inquiète pas, je ne...

— Ai-je l'air inquiet ? la coupa-t-il d'un ton ironique en écartant des mèches mouillées de son visage. Je n'ai aucune raison de m'inquiéter. Je sais que tu es incapable de résister à mon charme.

Serrant les dents, Kimberley s'efforça d'ignorer le feu qui se propageait en elle, menaçant de l'embraser tout entière.

— Une île cent fois plus vaste que celle-ci ne suffirait pas à contenir ton ego, maugréa-t-elle.

Dans un éclat de rire, il l'attira contre lui.

— J'aime que tu feignes de vouloir me résister. Ta capitulation n'en sera que plus délectable. Tu sais bien que j'adore relever les défis.

Quelle suffisance ! Comment pouvait-il tout à la fois l'exaspérer et la fasciner à ce point ? se demanda-t-elle, irritée contre elle-même.

— Dis plutôt que tu es incapable d'accepter qu'on te résiste.

— Qu'y a-t-il de mal à cela ? rétorqua-t-il avec un haussement d'épaules.

Passant un bras autour de sa taille, il la plaqua contre lui.

— Surtout quand nous voulons tous les deux la même chose…

Kimberley eut le souffle coupé par la violence des sensations qui l'assaillaient.

— Tu as un corps sublime, murmura-t-il d'une voix rauque en lui savonnant le dos.

Parcourue de longs frissons, Kimberley ferma les yeux. Les doigts de Luciano lui effleurèrent la nuque, puis s'enfoncèrent dans ses cheveux. Faisant mousser le shampoing, il lui massa le crâne. Elle renversa la tête en arrière, s'abandonnant à ses caresses expertes.

Une fois le massage terminé, il la lava entièrement, s'attardant sur chaque point sensible juste assez longtemps pour la mettre au supplice.

Incapable de contenir plus longtemps l'envie de lui rendre ses caresses, elle posa une main sur son torse, puis la fit glisser peu à peu vers son ventre.

Alors qu'elle s'apprêtait à poursuivre sa descente, Luciano lui immobilisa les bras derrière le dos, les maintenant fermement en place d'une seule main. Puis, les yeux étincelants, il se pencha vers elle.

Les lèvres frémissantes, Kimberley attendit son baiser. En vain. Il continua de la tourmenter en se contentant d'effleurer sa bouche au lieu de s'en emparer.

Vibrante de frustration, elle se mit à onduler contre lui en gémissant. Elle était en proie à un désir si intense qu'il en devenait presque douloureux. Pourquoi lui refusait-il le plaisir de le toucher ? Pourquoi ne l'embrassait-il pas ?

Elle ne pouvait absolument rien faire pour apaiser sa frustration et celle-ci menaçait de la rendre folle ! Sans doute était-ce le but recherché par Luciano, songea-t-elle confusément. Pour quelle autre raison, sinon, distillerait-il ses caresses au compte-gouttes ? Il prenait un soin diabolique à attiser son excitation, tout en évitant soigneusement de satisfaire pleinement ses envies. Jouant avec ses sens en virtuose, il lui laissait entrevoir des plaisirs exquis pour les lui refuser au dernier moment.

Bientôt, tout le corps de Kimberley ne fut plus qu'un immense frisson. Son esprit embrumé de désir ne fonctionnait plus. Alanguie contre Luciano, elle ne se rendit pas compte qu'il fermait le robinet. A peine eut-elle conscience qu'il l'enveloppait dans un drap de bain avant de la soulever dans ses bras puissants.

Il l'allongea sur le lit, la dénuda, puis se pencha sur elle, les yeux étincelants.

Suffoquant de désir, Kimberley promena fébrilement les mains sur son torse musclé, puis ses doigts impatients amorcèrent leur descente vers l'objet de sa convoitise. Mais Luciano se déroba d'un mouvement vif. Elle laissa échapper un petit cri de protestation.

— Laisse-moi te caresser, Luciano, s'il te plaît !

— Pas encore…

D'une seule main, il lui saisit les poignets et lui immobilisa les bras au-dessus de la tête. Puis il approcha lentement ses lèvres des siennes.

Il captura sa bouche dans un baiser si ardent qu'elle crut s'évanouir. La pièce tourbillonnait autour d'elle. Le lit était sur le point de tomber dans un gouffre sans fond…

La langue de Luciano explora chaque parcelle de sa bouche avec une habileté consommée, qui lui enleva le peu de lucidité qui lui restait. Quand elle voulut nouer les bras sur sa nuque, elle se rendit compte avec stupéfaction qu'elle ne pouvait pas.

Il l'avait attachée !

Il lui avait lié les poignets à la tête du lit…

Avec un petit rire satisfait, il quitta ses lèvres.

— Laisse-toi faire, *meu amorzinho.* Je te promets que tu ne le regretteras pas.

Elle se débattit en protestant, mais soudain, mille petites pointes de plaisir s'abattirent en pluie sur son sein avant de se disperser dans tout son corps. Luciano léchait son aréole dilatée du bout de la langue…

Suffoquée, elle tenta désespérément de retrouver l'usage de la parole, sans trop savoir si c'était pour exiger qu'il la libère ou pour le supplier de continuer. Comment un supplice pouvait-il être aussi délicieux ?

Quand il aspira la pointe hérissée de son sein entre ses lèvres, une boule de feu noua le ventre de Kimberley et son cerveau se vida instantanément. Avec des gémissements étouffés, elle se mit à onduler lascivement, tandis que Luciano mordillait, léchait et aspirait tour à tour chacun des bourgeons frémissants.

Puis ses lèvres finirent par quitter ses seins pour se diriger, en faisant plusieurs détours, vers le triangle de sa féminité.

Tout juste capable d'articuler, Kimberley murmura :

— Détache-moi, Luciano… s'il te plaît…

Il leva la tête.

— Pas encore. Tes inhibitions ne sont pas toutes levées. Je veux te montrer que ton corps est une source inépuisable de volupté, mais il faut que tu t'abandonnes entièrement. Ne t'inquiète pas. Tu es en sécurité avec moi, *meu amorzinho*. Je n'ai que du plaisir à t'offrir.

Il referma les mains sur ses cuisses et les écarta lentement, exposant le cœur de sa féminité à son regard pénétrant.

Les joues et le corps en feu, Kimberley ferma les yeux. Parcourue de frissons, elle sentit les doigts de Luciano se glisser dans les boucles de sa toison soyeuse, puis le bout de sa langue effleurer sa fleur humide avant d'en explorer le cœur brûlant.

Elle poussa un cri étranglé. Cette fois, c'était sûr, elle allait s'évanouir…

Lorsqu'il glissa les doigts au plus profond de sa féminité, l'explosion fut immédiate. Emportée par une lame de fond qui balaya tout sur son passage, Kimberley s'abandonna à la fureur du séisme. Le monde chavira et elle perdit la notion du temps et du lieu.

Quand elle finit par reprendre pied, épuisée et haletante, elle sentit les doigts de Luciano dans ses cheveux trempés de sueur. Ses yeux noirs, brillant d'un éclat inhabituel, scrutaient son visage.

Sans cesser de la contempler, il lui libéra les poignets et fit glisser sur un mamelon frémissant le ruban de soie écarlate qui l'avait retenue captive.

— Maintenant, tu es libre de faire ce que tu veux, murmura-t-il d'une voix rauque.

Electrisée, elle tendit aussitôt la main et referma les doigts autour de sa virilité triomphante. Elle n'eut pas le loisir de la caresser très longtemps. Avec un grognement étouffé, Luciano la saisit par les hanches et s'enfonça en elle d'un mouvement puissant.

Laissant échapper un long gémissement modulé, Kimberley noua les jambes autour des reins de Luciano pour mieux l'accueillir et entama avec lui une danse lascive et sensuelle sur un rythme d'abord lent, puis de plus en plus frénétique, qui les fit basculer en même temps dans le gouffre de la volupté.

Leurs deux corps enlacés se tendirent, leurs cris se mêlèrent et ils fusionnèrent dans une jouissance partagée qui les laissa comblés et hors d'haleine.

Quand Kimberley finit par rouvrir les yeux, un long moment plus tard, elle sentit contre sa peau la peau brûlante de Luciano, son souffle chaud dans son cou.

Il roula sur le dos, la serrant contre lui, et les cheveux flamboyants de Kimberley ruisselèrent sur son torse. Avec un grognement de satisfaction, Luciano les écarta de son visage pour pouvoir l'embrasser.

— C'était fantastique, murmura-t-il d'une voix rauque. Et au cas où tu aurais l'intention de prétendre que ça ne t'a pas plu, je préfère te prévenir que tu perdrais ton temps.

Il réprima un bâillement.

— Tu étais déchaînée. Et d'ailleurs, il doit y avoir de belles griffures sur mon dos pour le prouver.

Ecarlate, Kimberley s'écarta vivement. Seigneur ! Malgré toutes ses bonnes résolutions, elle avait de nouveau perdu la tête. Elle lui avait laissé le contrôle de la situation.

Ignorant la langueur qui amollissait tout son corps, elle bondit hors du lit. C'était la seule façon de résister à la tentation de se blottir contre lui... Il ne fallait à aucun prix oublier que la tendresse n'était pas au programme de leur arrangement.

— J'ai estimé que cinq millions de dollars valaient bien une prestation exceptionnelle de ma part, lança-t-elle d'un ton désinvolte.

A sa grande satisfaction, Luciano fronça les sourcils, manifestement surpris. Lui tournant le dos, elle gagna la salle de bains d'un pas qui se voulait nonchalant.

Elle tira le verrou et tomba accroupie sur le sol de marbre, le visage dans les mains.

Dire qu'un peu plus tôt, dans cette même pièce, au moment où elle était entrée sous la douche, elle croyait avoir renversé la situation ! Certes, elle avait réussi à le décontenancer. Elle l'avait vu à son regard. Malheureusement, il ne lui avait pas fallu plus de quelques minutes pour reprendre les commandes. Inutile de se bercer d'illusions. Ce serait toujours lui qui mènerait le jeu. Il avait le don de la transformer en esclave sexuelle. Oh, comme elle s'en voulait d'être incapable de lui résister !

Se hissant sur ses pieds, elle se traîna jusqu'au miroir pour observer son reflet. Joues en feu et lèvres gonflées…

Que lui était-il arrivé ?

Au cours des sept dernières années, elle s'était consacrée à son fils et à sa société. Fière de la vie qu'elle s'était bâtie, elle se considérait comme une femme indépendante.

Et pourtant, il lui avait suffi de se retrouver en face de Luciano pour redevenir la gamine soumise qu'elle était à dix-huit ans.

Deux semaines, se rappela-t-elle en s'aspergeant le visage d'eau froide. Dans deux semaines, elle rentrerait chez elle, auprès de son fils.

Et elle oublierait Luciano Santoro.

6.

Une quinzaine de jours plus tard, allongée au soleil au bord de la piscine, Kimberley dut se rendre à l'évidence. Elle était bel et bien redevenue une femme soumise.

Il suffisait à Luciano de lui jeter un regard brûlant pour qu'elle lui tombe dans les bras.

Mais le pire, c'était que cette situation la comblait. Comment le nier ? Ce retour aux sources dans ce lieu magique était un véritable enchantement.

Si son fils ne lui avait pas autant manqué, elle serait même au comble du bonheur. Kimberley poussa un profond soupir. Chaque fois qu'elle lui parlait au téléphone, Jason lui assurait que tout se passait bien à Londres. Cependant, elle ne pouvait s'empêcher de s'inquiéter.

Il était vrai que Rio semblait toujours aussi épanoui et plein d'entrain. Elle l'appelait au moins une fois par jour, et apparemment, il ne souffrait pas trop de son absence.

Si seulement elle pouvait en dire autant ! Son fils lui manquait terriblement et elle avait hâte de le retrouver. Ce qui ne tarderait pas puisque les deux semaines convenues avec Luciano touchaient à leur fin. Elle sentit ses joues s'enflammer. Depuis leur arrivée sur l'île, ils passaient le plus clair de leur temps au lit…

— Tu es encore en train de rêvasser.

Elle tourna la tête et vit Luciano se hisser sur le bord de la piscine.

Il ramassa une serviette et s'essuya le visage.

— Pourquoi cet air nostalgique ? demanda-t-il avec un sourire charmeur. Si tu as encore envie de moi, il suffit de le dire, *meu amorzinho.*

Kimberley sentit une vive chaleur l'envahir et prit son verre pour se donner une contenance. C'était insensé. A part revoir son fils, elle n'avait qu'une envie. Se trouver dans les bras de Luciano…

Il se dirigea vers elle, la serviette sur les épaules, le corps ruisselant de gouttes. Elle déglutit péniblement. Pas étonnant qu'elle soit incapable de lui résister… Quelle femme l'aurait pu ? Il était vraiment sublime.

— Ça fait presque une heure que tu es dehors, dit-il en promenant sur elle un regard réprobateur. Tu ferais mieux de rentrer si tu ne veux pas attraper un coup de soleil.

Certes, il était parfois très agaçant avec sa manie de toujours tout régenter, songea-t-elle, mi-amusée, mi-agacée. Mais, en l'occurrence, suivre son conseil lui permettrait de téléphoner chez elle. C'était peut-être stupide d'appeler son fils en cachette, mais étant donné la réaction de Luciano quand elle lui avait parlé de Rio, elle préférait rester discrète.

Tout à coup, elle fut assaillie par une nostalgie aiguë qui faillit la suffoquer.

Rio lui manquait trop ! Il fallait qu'elle entende sa voix de toute urgence.

S'efforçant de prendre un air désinvolte, elle se leva.

— Tu as raison, déclara-t-elle en prenant son sac et en enfilant ses sandales. Je vais rentrer un instant m'allonger. Je me sens un peu lasse.

Ce n'était pas faux. Contrairement à Luciano, qui semblait posséder une énergie et une résistance surnaturelles, elle avait du mal à enchaîner les nuits blanches sans s'assoupir dans la journée…

Elle gagna la chambre en s'efforçant d'ignorer le regard brûlant dont il l'enveloppait. Après avoir sorti son portable de son sac, elle jeta un coup d'œil par-dessus son épaule pour s'assurer qu'il se trouvait toujours au bord de la piscine, puis elle composa le numéro.

Ce fut Rio qui répondit.

— Maman ?

De toute évidence, il était très excité.

— Il faut que tu m'achètes un poisson !

Kimberley ferma les yeux, submergée par une bouffée de tendresse qui lui noua la gorge.

— Quel genre de poisson ?

— Le même que celui qu'on vient d'avoir à l'école. Il est vraiment cool !

Kimberley eut un sourire attendri. Pour son fils de six ans, tout était « cool ».

Ils discutèrent un moment, puis elle mit fin à la discussion à contrecœur. Chaque fois qu'elle raccrochait, c'était un véritable déchirement… Mais en rangeant son portable, elle vit la lettre du maître chanteur. Si elle était loin de son fils, c'était pour mieux le protéger…

Soudain, elle aperçut un objet étrange dans le fond de son sac. Perplexe, elle plongea la main dans ce dernier et ouvrit de grands yeux. Des menottes ?

Bien sûr ! Elle pouffa. La veille de son départ, Rio s'était déguisé en policier avec une panoplie empruntée à un de ses camarades. Comment les menottes avaient-elles atterri dans son sac ? Mystère. Il faudrait penser à les rendre à…

Tout à coup, une idée s'imposa à son esprit. Allait-elle oser ? Pourquoi pas ?

D'un geste vif, Kimberley fixa les menottes à la tête du lit avant de les dissimuler sous un oreiller.

— Moi aussi, j'ai besoin de me reposer.

La voix traînante de Luciano la fit tressaillir. Elle se tourna vers lui, le cœur battant à tout rompre. Seigneur ! Elle devait être écarlate !

Avait-il vu ce qu'elle venait de faire ?

Son regard rencontra le sien et elle sentit un long frisson la parcourir. Ses yeux étincelaient d'un éclat significatif. Il n'avait rien vu, comprit-elle. Il était trop occupé à regarder ses jambes et tout ce que dévoilait ce Bikini ridiculement minuscule…

— Pourtant, tu es rarement fatigué, répliqua-t-elle en s'efforçant de prendre un air dégagé, tandis qu'il approchait d'un pas nonchalant.

Son maillot de bain mouillé ne dissimulait rien de son désir pour elle…

— Et nous ne sommes levés que depuis une heure, ajouta-t-elle d'une voix étranglée.

Fascinée par le spectacle de ce corps athlétique visiblement attiré par le sien comme par un aimant, Kimberley était en proie à une excitation croissante.

Comme il était sexy ! Pas étonnant qu'il la trouble à ce point…

— Une heure, c'est très long, dit-il en lui prenant la main pour qu'elle se lève. Surtout quand tu portes ce Bikini.

Kimberley déglutit péniblement.

— C'est toi qui l'as choisi.

A son arrivée à la villa, une garde-robe complète l'attendait.

— Je n'ai apporté aucun vêtement ici, tu te souviens ?

Luciano eut un sourire prédateur.

— Et jusqu'à présent, *minha docura*, tu n'en as pas eu besoin.

— Bien sûr, nous passons notre vie au lit. N'es-tu donc jamais rassasié ?

— C'est toi qui me rends insatiable.

L'espace d'un instant, un pli barra le front de Luciano. Comme si cette constatation le perturbait, songea Kimberley.

— Pourquoi fais-tu la moue ? demanda-t-elle.

Le pli disparut instantanément du front de Luciano.

— Je ne fais pas la moue.

Il glissa la main dans ses cheveux et tira doucement dessus, l'obligeant à pencher la tête en arrière. En sentant ses lèvres brûlantes parsemer son cou de baisers, Kimberley fut parcourue de frissons fiévreux.

Il la renversa sur le lit et lui enleva son Bikini avant de s'allonger sur elle et de capturer sa bouche. Puis, tout en l'embrassant avec fougue, il roula sur le dos, la faisant basculer sur lui.

Elle s'arracha à ses lèvres. Impossible de garder les idées claires sous l'empire de sa bouche. Or il lui fallait un minimum de concentration pour exécuter son plan…

Pour une fois, elle allait prendre le contrôle de la situation. C'était son tour de le soumettre à la torture.

Le moment de la revanche était venu !

Cependant, il fallait agir vite. Avec une habileté qui la surprit elle-même, elle lui saisit les bras, les maintint au-dessus de sa tête, repoussa l'oreiller sous lequel elle avait dissimulé les menottes, et referma ces dernières autour de ses poignets avant qu'il ait le temps de comprendre ce qui lui arrivait.

Il se figea.

— Qu'est-ce qui te prend ?

Kimberley retint son souffle, tandis qu'il tentait de se libérer. Les menottes allaient-elles résister ?

Oui, elles semblaient assez solides, constata-t-elle avec satisfaction. Se penchant sur lui, elle effleura du bout de la langue le coin de sa bouche.

— Tu m'as dit un jour que même avec les mains attachées dans le dos, tu pouvais faire ce que tu voulais de moi, murmura-t-elle. C'est le moment ou jamais. Tu as les mains attachées et je suis toute à toi, Luciano.

Elle effleura sa bouche de la sienne et vit ses prunelles s'assombrir. S'écartant aussitôt de lui, elle se lécha les lèvres en dardant sur lui un regard provocant.

— A moins que ce ne soit l'inverse. C'est peut-être toi qui es tout à moi. Essayons de le découvrir, tu veux bien ?

A sa grande satisfaction, elle vit la consternation se peindre sur le visage de Luciano. Quel triomphe ! Elle avait enfin réussi à le déstabiliser !

Il s'efforçait visiblement de lutter contre le désir qui le submergeait, dans l'espoir de garder la tête froide.

Elle eut un sourire ravi. Combien de fois avait-elle fait la même tentative ? Combien de fois avait-elle échoué ?

— Aucune femme ne t'a jamais joué un tel tour, n'est-ce pas ? demanda-t-elle d'une voix suave.

Ondulant du bassin, Kimberley se pencha sur lui pour se redresser vivement dès qu'elle sentit le frôlement de sa virilité frémissante.

— Etre à la merci de quelqu'un est une expérience inoubliable, murmura-t-elle. Savoure-la bien.

Les yeux noirs de Luciano lancèrent des éclairs.

— *Meu Deus,* Kimberley ! Détache-moi immédiatement !

Avec une lenteur délibérée, elle passa les doigts dans la toison qui recouvrait son torse.

— Voyons, Luciano. Tu n'es pas en position de donner des ordres. Alors, essaie de te détendre et laisse-toi porter par le courant. Qui sait, peut-être vas-tu découvrir que tu apprécies d'être dominé, de temps en temps ?

La mâchoire de Luciano se crispa.

— Kimberley, j'exige que tu me détaches.

Elle se pencha de nouveau sur lui et effleura ses lèvres.

— Tu exiges…

Elle parsema son cou de baisers.

— Et moi je refuse, murmura-t-elle, de plus en plus contente d'elle. Avant que j'en aie terminé avec toi, tu vas me supplier, Luciano. Exactement comme je te supplie quand tu me fais subir la même torture.

— Ça n'a rien à voir !

— Ah bon ? En quoi est-ce différent ?

Elle poursuivit sa descente, s'attardant avec délectation sur son épaule. Comme elle aimait ce corps tout en muscles et cette peau soyeuse…

— C'est différent parce que tu es un homme et que je suis une femme ?

Elle lui mordilla l'épaule, lui arrachant un grognement. De toute évidence, il avait un mal fou à garder le contrôle de lui-même…

— Es-tu certain qu'il y a vraiment une différence entre nous ?

Pour la première fois, c'était elle qui menait le jeu. Ce corps sublime, elle avait enfin l'occasion d'en faire ce qu'elle voulait en prenant tout son temps. Pas question de s'en priver…

Avec un sourire sexy, elle fit glisser lentement ses mains sur le torse de Luciano, s'attarda sur son ventre qu'elle sentit se crisper sous ses doigts, puis elle lui enleva son maillot de bain.

Sa virilité, gonflée de désir, était fièrement dressée. Parfait. Il était prêt pour les jeux sensuels qu'elle lui réservait.

Pendant un instant, Kimberley se contenta de le contempler en silence. De rage, il lâcha un chapelet de jurons dans sa langue maternelle.

— Relâche-moi ! Ce n'est pas drôle !

— Ce n'est pas censé être drôle.

La tension montait progressivement, chargeant l'air d'électricité. Fascinée, Kimberley le dévorait des yeux. Il était vraiment splendide. Superbe. Terriblement viril. Et elle le désirait comme une folle…

Mais elle allait attendre.

Et surtout, elle allait le faire attendre.

Avec un sourire gourmand, elle promena les doigts sur son abdomen en prenant soin d'éviter son sexe.

— Relâche-moi !

Lâchant de nouveaux jurons, Luciano tira vigoureusement sur les menottes, mais celles-ci tinrent bon. Kimberley lui adressa un sourire aguicheur, de plus en plus sûre d'elle au fur et à mesure que les minutes passaient.

— Pas question.

Elle fit glisser sa main jusqu'en haut de sa cuisse.

— Pour une fois que je peux m'amuser comme je veux avec ce corps sublime, je ne vais pas me priver. Tu devras patienter jusqu'à ce que j'en aie fini avec toi.

— Tu ne peux pas faire ça !

— Mais si. D'ailleurs, je suis en train de te le prouver.

Avec un cri de rage, il tira de nouveau sur les menottes. En vain. Kimberley balaya son torse de sa chevelure flamboyante, tandis qu'elle suivait du bout de la langue la flèche de poils qui courait sous son nombril. Elle sentit tous les muscles de Luciano se crisper. Il mourait d'envie qu'elle passe aux choses sérieuses, mais il n'en était pas question. Pas encore.

Elle n'était pas prête. Et lui non plus.

Elle lécha et parsema de baisers chaque parcelle de son corps, en évitant toujours avec soin sa virilité frémissante.

Puis elle finit par effleurer celle-ci du bout de la langue, arrachant à Luciano un grognement guttural. Il tendit son corps vers elle, mais elle s'esquiva pour remonter vers son torse. Passant les doigts à travers la toison qui le recouvrait, elle lécha tour à tour les deux mamelons qui y étaient enfouis.

Il se cabra et tira une fois de plus sur les menottes en marmonnant en brésilien. Levant la tête, elle lui adressa un sourire moqueur.

— Si tu veux que je te comprenne, il faut parler anglais, Luciano. Que veux-tu ?

Pendant quelques secondes, il la fixa en silence, le regard fiévreux.

— Je veux que tu me caresses, dit-il d'une voix rauque. Maintenant.

Electrisée, Kimberley fut submergée par une joie triomphale doublée d'une bouffée de désir d'une force inouïe. Faire durer l'attente allait devenir de plus en plus difficile…

— Pas encore, murmura-t-elle cependant.

Il ferma les yeux et des gouttes de sueur perlèrent à son front.

— Kimberley, s'il te plaît…

Grisée par le pouvoir qu'elle avait enfin réussi à conquérir sur lui, elle eut une moue désinvolte.

— Détends-toi, Luciano. Essaie de faire preuve d'un peu de patience.

En réalité, elle brûlait d'envie de l'exaucer, reconnut-elle intérieurement.

— Kimberley…

— Pas encore, répéta-t-elle en s'efforçant d'ignorer la boule de feu qui lui nouait le ventre. Je veux que tu me supplies.

— *Meu Deus*…

Il laissa échapper un juron et ferma les yeux.

— Kimberley…

La voix de Luciano était méconnaissable.

— Je t'en supplie…

Se penchant sur lui, elle referma les lèvres autour de sa virilité et la savoura avec délectation. Les grognements de plaisir de Luciano décuplèrent son sentiment de puissance tout en attisant le feu qui brûlait en elle. Elle continua jusqu'à ce que la douleur qui lui vrillait le ventre devienne insupportable.

Alors elle se redressa et se plaça au-dessus de lui. Plongeant son regard dans le sien, elle effleura de sa fleur moite de désir le bout de sa virilité. Laissant échapper un cri rauque, il donna un coup de rein impatient, mais elle se déroba.

— Doucement, Luciano. N'oublie pas que c'est moi qui contrôle la situation.

Pourquoi s'obstiner ? se dit-elle aussitôt. Elle ne contrôlait plus grand-chose et son désir pour lui était tel qu'elle était au bord du malaise.

Vibrante d'excitation, elle reprit place au-dessus de lui pour l'accueillir au plus profond d'elle. L'accord parfait de leurs deux corps confondus les fit sombrer dans un océan de sensualité brûlante.

Quand l'explosion inévitable se déclencha, ce fut avec une telle violence qu'elle les propulsa vers des sommets qu'ils n'avaient encore jamais franchis, balayant en chacun d'eux les dernières bribes de conscience.

Un long moment plus tard, Kimberley se laissa glisser sur le côté, ses jambes mêlées à celles de Luciano et un bras en travers de son torse.

Les sens enfin apaisés, elle risqua un coup d'œil sur le visage de Luciano.

Il avait les yeux fermés.

Elle se sentait soudain ridiculement timide.

— Luciano ?

Il ne réagit pas. Inquiète, elle lui enleva les menottes avec précaution.

Aussitôt, deux bras puissants se refermèrent sur elle et la

firent rouler sur le dos. Il promena sur son visage un regard qui brillait d'un éclat étrange.

— Je n'arrive pas à croire que tu as osé faire ça…

— Tu es fâché ?

— Fâché ?

Il l'embrassa en riant.

— Comment pourrais-je être fâché alors que tu viens de me faire vivre le moment le plus fantastique de toute mon existence ? Et de toute façon, pour être fâché, il faudrait que j'aie encore un minimum d'énergie. Or, ce n'est pas le cas.

Kimberley fut envahie par une joie indicible. Jamais elle ne s'était sentie aussi fière, épanouie, heureuse…

— Où as-tu trouvé ces menottes ? demanda-t-il d'une voix paresseuse.

Elle tressaillit. C'était une question qu'elle n'avait pas prévue. Mieux valait ne pas mentionner Rio. Ce n'était pas le moment.

— Quelqu'un que je connais a voulu me jouer un tour, éluda-t-elle en priant pour qu'il ne cherche pas à approfondir.

A son grand soulagement, il n'en fit rien. Il se contenta de resserrer ses bras autour d'elle.

Délicieusement surprise, elle sentit son cœur battre la chamade. C'était la première fois qu'il se montrait aussi affectueux après l'amour…

Il déposa un baiser sur son front.

— Je n'arrive toujours pas à croire que tu as fait ça. Et j'arrive encore moins à croire que je t'ai laissée faire.

Elle pouffa.

— Tu n'avais pas le choix ! Pour la première fois, c'était moi qui contrôlais les opérations.

— C'est vrai. Tu es devenue une autre femme.

Il promena les doigts sur la peau brûlante de Kimberley avec une approbation non dissimulée.

— Il y a sept ans, tu n'aurais jamais eu le courage de prendre une telle initiative.

— Tu étais mon premier amant, lui rappela-t-elle. J'étais novice.

— En effet.

Il déposa un baiser sur sa tempe.

— A présent, il faut dormir. Tu as besoin de te reposer et de refaire le plein d'énergie.

Sur ces mots, il ferma les yeux et s'endormit aussitôt sans relâcher son étreinte.

Kimberley sentit son cœur se gonfler de joie. C'était la première fois qu'il la gardait serrée contre lui pour dormir. Comme elle était bien dans ses bras ! Et comme elle aimerait y rester toute sa vie…

Car il était inutile de se voiler la face, à présent. Si elle était aussi sensible à son charme, si elle n'avait pas regardé un seul homme pendant sept ans, c'était parce qu'elle l'aimait.

Il pensait qu'elle était devenue une autre femme, mais en réalité, elle était toujours la même. Aussi amoureuse de lui qu'elle l'était à dix-huit ans.

Peu importait que Luciano soit despotique et qu'il ne dévoile jamais rien de lui-même. Peu importait qu'il ne soit pas l'homme qu'il lui fallait. Peu importait qu'il ne l'aime pas.

Elle l'aimait toujours et elle l'aimerait sans doute jusqu'à la fin de sa vie.

Quand Luciano se réveilla, plusieurs heures plus tard, le soleil était en train de se coucher.

En constatant que Kimberley n'était plus à son côté, il ressentit un pincement au cœur. Que lui arrivait-il ? Pourquoi sa déception était-elle aussi vive ? se demanda-t-il avec perplexité.

Il était tout simplement frustré, décida-t-il aussitôt en refusant de s'interroger plus longuement.

N'était-il pas logique qu'après avoir vécu l'expérience sexuelle la plus explosive de sa vie il ait encore envie de serrer dans ses bras la femme qui en avait été à l'origine ?

Il se leva d'un bond, eut un sourire appréciateur en apercevant les menottes, et enfila un pantalon.

Kimberley se trouvait au bord de la piscine. Pâle, le visage crispé, elle avait son portable à la main.

Luciano se figea.

— Quelque chose ne va pas ?

Après le moment fabuleux qu'ils avaient partagé, il s'attendait à la trouver détendue et souriante. Impatiente de se jeter dans ses bras pour une nouvelle fête des sens. Pourquoi avait-elle une mine aussi sombre ? Et surtout, pourquoi avait-elle remis précipitamment son portable dans son sac avec un air coupable dès qu'elle l'avait entendu arriver ?

— Non, non. Tout va bien, répliqua-t-elle avec un manque de conviction flagrant.

Elle baissa la tête, dissimulant son visage derrière la masse flamboyante de ses cheveux.

— C'était juste un ami.

Un ami ?

Un sentiment violent, inconnu, submergea Luciano. Quel genre d'ami ? Pourquoi éprouvait-elle le besoin de téléphoner à un autre homme ? Quel genre de vie menait-elle à Londres ? Avait-elle un amant ? Plusieurs amants ? Lui était-il déjà arrivé d'attacher un homme avec des menottes pour le rendre fou de désir ?

Luciano fut soudain envahi par une vive frustration. Il ne savait presque rien de Kimberley. Et curieusement, il avait soudain une envie irrépressible de tout savoir.

— Nous dînons sur la terrasse, ce soir, annonça-t-il, pris d'une impulsion.

Elle arqua les sourcils. De toute évidence, elle était aussi surprise que lui par cette décision subite.

— Nous en profiterons pour discuter, ajouta-t-il.

Elle resta bouche bée. Fasciné, Luciano fixa ses lèvres entrouvertes. Ces lèvres pulpeuses l'avaient rendu fou quelques heures plus tôt… Mais pas question de penser à ça pour l'instant.

Le même instinct qui lui était si précieux dans les affaires lui disait que quelque chose clochait… Il fallait absolument reprendre la situation en main. Il avait trop envie de voir Kimberley retrouver le sourire. Etrange… Pourquoi éprouvait-il tout à coup le besoin de la rendre heureuse, même quand elle ne se trouvait pas dans son lit ? A vrai dire, il n'en avait aucune idée.

En tout cas, la morosité de Kimberley ne pouvait pas être due à une quelconque frustration sexuelle, se dit-il en s'efforçant de chasser de son esprit les images qui l'assaillaient.

Ce qui signifiait que le problème avait une autre cause.

Pour découvrir laquelle, il n'y avait qu'une solution. Faire parler Kimberley. Ce qui, de toute façon, ne risquait pas de lui déplaire. Les femmes adoraient ça en général, et elle n'échappait pas à la règle.

Par ailleurs, il fallait reconnaître qu'ils n'avaient pas consacré beaucoup de temps à la conversation depuis le début du séjour. Pour sa part, il n'en éprouvait pas le besoin. Mais elle s'en était justement plainte à plusieurs reprises.

Et pour une raison mystérieuse, il avait soudain envie de satisfaire ses moindres désirs.

Oui. Il avait envie de la rendre heureuse. Et si discuter avec elle était un moyen d'atteindre cet objectif, pourquoi pas ?

Convaincu d'avoir pris la décision qui s'imposait, Luciano indiqua la chambre d'un signe de tête.

— Choisis une tenue dans la garde-robe et viens me rejoindre ici quand tu seras prête.

Elle le regarda d'un air interdit.

— Pourquoi m'habiller si c'est pour que tu t'empresses de me déshabiller ?

Une pointe de lassitude dans la voix de Kimberley confirma les soupçons de Luciano. Pas de doute, quelque chose clochait. Et sans doute le croyait-elle incapable de réfréner ses élans, même le temps d'un dîner.

Eh bien, il allait lui prouver qu'elle se trompait.

— Parce que ce soir, je m'intéresse plus à ton esprit qu'à ton corps. J'ai envie que nous discutions, *meu amorzinho.* Je veux tout savoir de toi.

Un sourire circonspect se dessina sur les lèvres qui lui avaient fait perdre la raison, quelques heures plus tôt.

— Et toi ? Vas-tu me faire des confidences également ? Ou bien vais-je être la seule à me livrer ? Peut-être ai-je envie moi aussi de tout savoir de toi.

Luciano fronça les sourcils, mais se reprit aussitôt et lui adressa un sourire enjôleur. Si elle y tenait vraiment, il pourrait peut-être faire des efforts. Certes, parler de lui n'était pas son passe-temps favori. Cependant, il était passé maître dans l'art d'esquiver les questions trop indiscrètes des journalistes. Il lui suffirait d'en faire autant avec elle.

— Tes désirs sont des ordres. Va te changer pendant que je donne des instructions pour qu'on nous serve à dîner au bord de la piscine.

Tandis qu'elle s'éloignait de la démarche souple et gracieuse d'une danseuse, Luciano la suivit des yeux, admiratif.

Du calme, se dit-il en réfrénant un vif désir d'oublier ses résolutions pour laisser agir à sa guise l'homme des cavernes qui ne restait jamais longtemps assoupi en lui. Pas question de flancher. D'autant plus qu'un dîner « romantique » avait toutes les chances de redonner son entrain à Kimberley.

Ce qui s'avérerait sans nul doute très payant après le dessert…

Des fleurs, du bon vin, quelques mets raffinés, un peu de conversation… Quoi de plus simple ?

Avant la fin de la soirée, elle aurait retrouvé le sourire.

Et l'homme des cavernes qui sommeillait en lui pourrait se réveiller.

7.

La table avait été dressée près de la piscine, éclairée par des flambeaux.

Assise en face de Luciano, Kimberley était perplexe.

Pourquoi la nappe brodée et les bouquets de fleurs exotiques ? Pourquoi l'argenterie et les verres de cristal ?

Un décor aussi romantique était idéal pour séduire une femme. Cependant, Luciano n'avait pas besoin de la séduire. C'était déjà fait depuis longtemps…

Le plus surprenant, c'était sa tenue. Pourquoi avait-il mis un pantalon manifestement coupé sur mesure et une chemise de soie blanche, alors que depuis deux semaines il prenait rarement la peine d'enfiler autre chose qu'un maillot de bain ?

Pourquoi ce soudain souci d'élégance ?

Et pourquoi ce désir de tout savoir d'elle ?

Depuis qu'elle l'avait rejoint après s'être préparée pour le dîner, Kimberley avait l'impression d'avoir en face d'elle un autre homme. Non seulement il se montrait particulièrement attentionné, mais il lui posait tellement de questions sur elle-même et sur sa vie qu'elle en avait le tournis.

C'était d'autant plus déstabilisant qu'elle craignait de trop se dévoiler…

Kimberley s'efforça de se concentrer sur le contenu de son assiette, mais elle ne pouvait s'empêcher de s'interroger. Pourquoi

Luciano tenait-il tant à discuter, lui qui estimait qu'entre un homme et une femme, c'était une perte de temps ?

— Pourquoi as-tu abandonné ta carrière de mannequin ? demanda-t-il comme pour confirmer que sa curiosité était inépuisable.

— C'est elle qui m'a abandonnée, répliqua-t-elle d'un ton pince-sans-rire. Le jour où j'ai manqué une séance de photos parce que je venais de te rencontrer. L'agence a perdu un contrat très important à cause de moi et m'a discréditée auprès de toute la profession.

— Donne-moi le nom de cette agence.

Elle ouvrit de grands yeux.

— Pourquoi ? Tu vas t'arranger pour qu'elle fasse faillite ? plaisanta-t-elle.

— Pourquoi pas ? rétorqua-t-il avec le plus grand sérieux.

Elle ne put s'empêcher de pouffer.

— Tu es incroyable ! De toute façon, j'étais ravie d'arrêter ce métier. C'est un style de vie qui ne m'a jamais convenu. Je n'appréciais ni les mondanités, ni la drogue, ni tout le reste…

— Il est vrai que tu étais particulièrement innocente et naïve, commenta-t-il en se penchant vers elle pour remplir son verre. Sinon pourquoi te serais-tu promenée seule en pleine nuit sur la plage de Rio, vêtue d'une robe à peine plus grande qu'un mouchoir, le soir où je t'ai rencontrée ? Je n'en croyais pas mes yeux.

Elle eut une moue d'autodérision. Il fallait reconnaître que c'était particulièrement stupide de sa part.

— Les autres filles m'avaient entraînée à une réception où je me sentais mal à l'aise. J'ai voulu rentrer à l'hôtel, mais je n'ai pas trouvé de taxi.

Au souvenir de cette soirée, elle réprima un frisson. Si Luciano n'était pas intervenu…

— Il y avait longtemps que je n'avais pas eu l'occasion de me battre comme ça, déclara-t-il d'un ton désinvolte.

— Tu as été très impressionnant.

Etait-ce parce qu'il n'avait pas hésité à s'attaquer à une bande de six voyous qu'elle était tombée amoureuse de lui ?

Il fallait reconnaître qu'au départ c'était l'une des raisons de son attirance pour lui. Quand s'était-il trouvé quelqu'un pour prendre sa défense avant ce soir-là ? Jamais. C'était la première fois de sa vie qu'elle rencontrait un homme prêt à risquer sa vie pour porter secours à une femme. Et bien sûr, elle avait été subjuguée.

Luciano avait fait preuve d'un courage et d'une efficacité extraordinaires. Il avait identifié le chef de bande en une fraction de seconde et s'était attaqué à lui avec une telle habileté qu'elle s'était d'abord demandé si son sauveteur n'était pas plus dangereux que ses attaquants.

Où avait-il appris à se battre ? se demanda-t-elle en buvant une gorgée de vin. Elle avait entendu des rumeurs sur son passé. Mais jamais rien de très précis.

Elle lui jeta un coup d'œil. Son visage taillé à la serpe était encore plus séduisant à la lueur des bougies…

— Où as-tu appris à te battre ?

La question quitta les lèvres de Kimberley sans qu'elle l'ait prémédité. Elle vit Luciano se figer alors qu'il tendait la main vers son verre.

— *Não entendo*. Je ne comprends pas. Que veux-tu dire ?

Elle déglutit péniblement.

— La nuit où tu as volé à mon secours, tu as réussi à mettre en fuite six hommes. Où as-tu appris à te battre avec une telle efficacité ?

Il but une gorgée de vin avant de répondre.

— Nulle part. Je suis un homme. Pour moi, me battre est instinctif.

— L'instinct ne suffit pas quand on est seul contre six, insista-t-elle. On aurait pu croire que tu t'étais entraîné dans une école de combat.

Il eut une hésitation presque imperceptible.

— L'école de combat dans laquelle j'ai été formé s'appelle la vie, éluda-t-il. J'y ai appris énormément de choses et mon éducation a commencé très tôt.

De toute évidence, il n'avait aucune envie d'entrer dans les détails. Mais ce n'était pas une raison pour se décourager, décida Kimberley.

— Es-tu né à Rio ?

— Oui. Je suis un authentique Carioca.

— Comment es-tu devenu un homme d'affaires aussi prospère ?

— A force de volonté et de travail.

Il se pencha en avant, le regard étincelant.

— Quand on veut vraiment quelque chose, on finit toujours par l'obtenir, *meu amorzinho*. Il suffit de ne laisser aucun obstacle se mettre en travers de son chemin. Et surtout, de ne se fier à personne d'autre qu'à soi-même.

Devant son air implacable, Kimberley réprima un frisson.

— Ce n'est pas parce qu'on veut quelque chose qu'on peut tout se permettre pour l'obtenir, objecta-t-elle. Et puis, il faut savoir faire confiance aux autres.

Un sourire moqueur étira les lèvres sensuelles de Luciano.

— C'est une réflexion typiquement féminine.

Son sourire s'estompa.

— Pour ma part, j'estime qu'il vaut mieux ne compter que sur soi-même. Dépendre des autres est dangereux. Il faut se battre pour obtenir ce qu'on désire, puis se battre pour le garder. Sinon, on risque de tout perdre.

Quelle passion dans sa voix et dans ses yeux ! songea

Kimberley, le cœur battant. L'espace d'un instant, elle avait eu le sentiment d'apercevoir le vrai Luciano. L'homme qui se cachait sous le masque du séducteur incapable de la moindre émotion.

Cédant à une impulsion, elle lui prit la main.

— T'est-il déjà arrivé de tout perdre à cause de quelqu'un ? demanda-t-elle d'une voix douce.

Il lui retira sa main et se renversa contre le dossier de sa chaise, le visage fermé.

— Parlons plutôt de toi. Cet ami avec qui tu parlais au téléphone, tout à l'heure…

Sa voix se durcit.

— … qui était-ce ?

— Un ami, répondit Kimberley d'un ton léger.

De toute évidence, elle avait touché un point sensible, et s'il changeait brusquement de sujet, c'était pour mieux éluder sa question.

Mais les doigts de Luciano se crispèrent soudain sur son verre. L'atmosphère devint soudain hostile.

— Depuis combien de temps êtes-vous ensemble ?

Kimberley ouvrit de grands yeux.

— Puisque je te dis que c'est un ami…

— Quel genre d'ami ?

— Mon meilleur ami ! s'écria-t-elle, exaspérée. Il m'a soutenue dans toutes les épreuves que j'ai traversées.

— Je n'en doute pas !

Le ton sarcastique de Luciano révolta Kimberley.

— Tout le monde n'est pas comme toi ! Il existe des hommes capables de compassion, figure-toi.

Outrée, elle se leva avec une telle vivacité qu'elle faillit renverser sa chaise.

— Il existe également des relations fondées sur tout autre

chose que le sexe. Mais ça te dépasse, bien sûr ! Tu es trop inhibé affectivement pour le comprendre.

— *Meu Deus*, qu'est-ce qui te prend ?

Il se leva à son tour, visiblement abasourdi.

— Moi, inhibé ? Comment peux-tu dire une chose pareille ?

— Oui ! Tu es incapable d'exprimer la moindre émotion ! Incapable de te livrer, ne serait-ce qu'un peu. A la moindre question personnelle, tu te fermes comme une huître.

— Et alors ? Quel est l'intérêt d'échanger des confidences sur son passé ? Est-ce que ça changerait quelque chose entre nous si je te disais que je suis né dans les favelas et que ma famille était si pauvre que la nourriture était un luxe ? Est-ce que ça changerait quelque chose si je te disais que mon père et ma mère travaillaient comme des bêtes de somme pour nous sortir de cette misère ? As-tu vraiment envie de savoir qu'ils y sont parvenus, mais seulement pour tout perdre quelque temps plus tard ?

Luciano fit le tour de la table et saisit Kimberley par les épaules. Il plongea son regard étincelant dans le sien.

— Dis-moi, *meu amorzinho*, à présent que tu sais d'où je viens, est-ce que notre relation s'est subitement enrichie ?

— C'est la première fois que tu me parles de toi, déclara Kimberley, la gorge nouée.

— A présent, tu en sais plus sur moi que n'importe qui.

Il l'embrassa dans le cou.

— Et j'espère que ça te suffit.

Il effleura ses lèvres.

— Parce que discuter n'est pas mon passe-temps favori, murmura-t-il en faisant glisser sa main le long de son dos. Je préfère le langage du corps.

La soulevant de terre, il la porta jusqu'à la chambre.

— Luciano…

Kimberley ferma les yeux, partagée entre la frustration et le désir. Elle aurait tant aimé qu'il continue à se confier ! Mais d'un autre côté, il fallait reconnaître qu'elle avait très envie de lui…

Ils avaient fait des progrès, songea-t-elle tandis qu'il lui enlevait sa robe avec fébrilité. Des progrès minimes, mais des progrès tout de même. Ils étaient restés habillés pendant presque deux heures. Ils avaient partagé un repas. Ils avaient échangé des confidences…

Pas de doute, quelque chose avait changé. Luciano était différent, se dit-elle quand il captura sa bouche. Sa fougue était mêlée de tendresse. Commencerait-il à éprouver des sentiments pour elle ?

A peine cette pensée l'eut-elle effleurée qu'elle la chassa aussitôt. Pas question de reproduire les mêmes erreurs que par le passé. C'était son corps qui intéressait Luciano. Rien que son corps. Se bercer d'illusions avait failli lui briser le cœur autrefois. Pas question de recommencer.

Toutefois, il n'y avait aucun doute possible. Quelque chose avait changé, songea-t-elle de nouveau quelques instants plus tard. Au lieu de s'affronter dans un rapport de domination, ils s'unissaient dans le partage…

Quand ils finirent par redescendre sur terre après avoir atteint les cimes de la volupté, Luciano s'endormit en tenant Kimberley étroitement serrée contre lui.

Comme s'il ne voulait pas qu'elle s'en aille, songea confusément la jeune femme avant de sombrer à son tour dans le sommeil.

Le lendemain matin, veille de son départ, Kimberley se réveilla tard dans un lit vide. Son cœur se serra, mais elle entendit presque aussitôt un bruit familier.

Luciano nageait dans la piscine.

C'était stupide, mais le savoir tout près lui mettait du baume au cœur…

Elle jeta un coup d'œil sur sa montre. Pas étonnant qu'il soit levé ! La matinée était déjà bien avancée. Il fallait qu'elle appelle Jason pour lui confirmer son heure d'arrivée, le lendemain. Elle prit son portable dans son sac.

Ce fut Jason qui répondit. Ils discutèrent un moment, puis il lui passa Rio. Le bavardage joyeux de son fils la fit sourire.

Comme elle avait hâte de le revoir !

— Tu rentres bientôt, maman ? demanda-t-il au bout de quelques instants. Tu me manques.

La gorge de Kimberley se noua.

— Je rentre demain. Tu me manques aussi.

Elle entendit un bruit derrière elle et se retourna. Une serviette négligemment nouée autour de la taille, Luciano dardait sur elle un regard noir.

Elle dit au revoir à Rio et raccrocha.

— Alors comme ça, ton « ami » te manque ? lança Luciano en avançant vers elle d'un air menaçant.

Kimberley le regarda avec stupéfaction.

— Je pars demain, Luciano. Je prenais des dispositions.

Il se figea et la fixa d'un air interdit. Puis, elle vit une ombre furtive passer sur son beau visage. De la surprise ? Des regrets ? Il se conduisait comme un homme jaloux… A cette pensée, Kimberley faillit éclater de rire. Luciano, jaloux ? Impossible. Pour être jaloux, il fallait éprouver des sentiments. Or il ne s'intéressait qu'au sexe.

— Il était prévu que je resterais deux semaines, lui rappela-t-elle d'un ton posé. Ces deux semaines prennent fin aujourd'hui. Je pars demain.

— Il n'a jamais été question que ton séjour se termine demain. Tu as vraiment hâte de le retrouver, n'est-ce pas ?

Elle le fixa avec incrédulité.

— Qu'est-ce qui te prend ? Nous étions convenus que je passerais quinze jours avec toi. Chacun de nous a respecté son engagement. A présent, je dois rentrer.

— Il n'en est pas question.

— Enfin, Luciano, je ne te comprends pas. Nous avons conclu un accord et…

— Que fais-tu de ce qui s'est passé entre nous pendant ton séjour ?

— De quoi parles-tu ? J'ai passé deux semaines dans ton lit parce que je m'y étais engagée. C'est tout.

Pas question de tomber dans le piège, se dit Kimberley. De toute évidence, son désir pour elle n'était pas encore complètement assouvi et il était prêt à tout pour l'inciter à rester quelques jours de plus. Mais dès qu'il serait lassé d'elle, il la renverrait comme autrefois. N'avait-il donc pas encore compris qu'elle ne se laisserait plus manipuler aussi facilement ?

Il la regardait avec l'air circonspect d'un homme conscient d'avancer en terrain miné.

— Mais, hier soir… nous avons dîné ensemble, plaida-t-il. Nous avons discuté.

— C'est surtout moi qui ai parlé. Tu t'es contenté de me questionner.

— Je t'ai raconté mon enfance !

— Tu l'as évoquée en deux phrases.

— Peut-être, mais c'est parce que je n'ai pas l'habitude de parler de moi !

Il se mit à arpenter la chambre à grands pas en se passant les doigts dans les cheveux.

— Mais si c'est ce que tu veux, nous dînerons de nouveau sur la terrasse ce soir et nous discuterons.

Kimberley le considéra avec perplexité. Serait-il possible qu'il ne cherche pas à la manipuler et qu'il soit tout simplement sincère ? Jamais il n'avait paru aussi nerveux. Par ailleurs, il n'était pas du tout dans ses habitudes de faire des concessions. En général, il se contentait d'imposer sa volonté. Pourquoi semblait-il désireux de lui faire plaisir ?

Mais peu importait. Elle ne pouvait pas rester.

— Il faut que je rentre chez moi, dit-elle d'une voix neutre.

Il s'immobilisa.

— Pourquoi ?

— Parce que j'ai un fils. Un fils que j'aime et qui me manque. Tu n'as pas daigné revenir sur ce sujet depuis notre arrivée ici, mais ça ne change rien à la réalité. Ma vie est à Londres auprès de lui. Et demain, je reprends l'avion.

La mâchoire de Luciano se crispa.

— Ce n'est pas un fils mais un amant qui t'attend à Londres.

Kimberley se leva, abasourdie.

— Pourquoi te comportes-tu comme un homme jaloux ? C'est insensé.

Il leva les yeux au ciel.

— Je ne suis pas jaloux ! Mais je ne partage pas. Jamais.

Elle réprima un soupir. Mieux valait renoncer à le comprendre. C'était sans espoir…

— Mon avion décolle demain après-midi, rappela-t-elle d'un ton posé.

Il darda sur elle un regard étincelant.

— Annule ta réservation. Sinon c'est moi qui m'en chargerai.

A son grand dam, Kimberley sentit son cœur battre la chamade. Seigneur ! Pourquoi avait-elle tout à coup une irrésistible envie de rester ?

Comment avait-elle pu s'imaginer qu'elle serait capable de le quitter sans le moindre regret ?

*
* *

Jaloux ?

Luciano enchaînait les longueurs de crawl avec acharnement dans l'espoir de se calmer. Bon sang ! Que lui arrivait-il ?

Il ne se reconnaissait pas. C'était la première fois de sa vie qu'il était prêt à tout pour garder une femme auprès de lui.

Mais était-ce si surprenant ? Après tout, Kimberley était tellement douée pour l'amour que n'importe quel homme normalement constitué réagirait comme lui, se dit-il en effectuant un virage parfait avant de repartir en sens inverse.

S'il ne s'était pas encore lassé d'elle, c'était à cause de son talent exceptionnel pour le propulser jusqu'à des sommets de volupté qu'il n'avait jamais atteints. Mais nul doute que quelques semaines supplémentaires suffiraient à le rassasier d'elle.

Alors, seulement, il la laisserait partir.

Il avait la soirée et la nuit pour la convaincre de rester encore un peu, songea-t-il en se hissant hors de la piscine. Ce qui était amplement suffisant.

Pour commencer, il allait lui prouver qu'il était capable de discuter autant qu'elle le voulait. Puis il l'entraînerait dans son lit.

Luciano eut un sourire confiant. Demain matin, elle appellerait d'elle-même la compagnie aérienne pour annuler son vol.

Le lendemain matin, Kimberley vérifia son billet d'avion et le remit soigneusement dans son sac à main avec son passeport.

Elle trouva dans son dressing-room un petit sac de voyage. Puisqu'il lui était manifestement destiné et que tous les vêtements contenus dans la garde-robe avaient été achetés pour elle, elle pouvait se permettre d'emporter ses tenues préférées, décida-t-elle.

Elle enleva une robe de soie de son cintre pour la ranger dans le sac. Avec un peu de chance, faire ses bagages la distrairait de ses pensées et l'aiderait à partir le cœur plus léger.

La veille au soir, ils avaient de nouveau dîné au bord de la piscine et Luciano avait fait des efforts héroïques pour parler de lui. Il fallait reconnaître qu'elle avait été très touchée.

C'était manifestement si difficile pour lui de se livrer… Mais il avait fait de son mieux pour lui confier diverses anecdotes de son enfance et pour lui expliquer le fonctionnement de sa société.

Bien sûr, s'il s'était donné cette peine, c'était sans aucun doute dans l'espoir de la faire changer d'avis et de l'inciter à rester plus longtemps.

Mais elle n'avait pas changé d'avis.

Même après la nuit qui avait suivi… Elle pensait avoir déjà atteint avec lui l'apogée du plaisir, mais il l'avait entraînée encore plus haut, l'emportant dans une nouvelle dimension dont elle avait cru ne jamais revenir.

Pourtant, si elle était toujours déterminée à partir, elle ne parvenait pas à imaginer de vivre sans Luciano.

Kimberley poussa un profond soupir. Jamais elle ne s'était sentie aussi déchirée. Elle brûlait d'impatience de retrouver son fils, tout en mourant d'envie de rester auprès de Luciano.

Au même instant, ce dernier sortit de la salle de bains, fraîchement rasé et les cheveux mouillés. Comme il était sexy ! songea-t-elle en le dévorant des yeux.

Si elle n'avait pas son fils, serait-elle restée ?

Non ! Comment risquer d'avoir le cœur brisé une seconde fois ?

Elle rangea un Bikini dans le sac.

Luciano plissa le front.

— Que fais-tu ?

— Mes bagages, comme tu vois.

— Pourquoi ?

— Parce que je prends l'avion cet après-midi.

Pourquoi feignait-il de ne pas s'en souvenir ? se demanda-t-elle avec agacement.

— Je suppose que ton pilote va me conduire à l'aéroport en hélicoptère, ajouta-t-elle.

— Certainement pas.

Luciano lui prit le sac des mains.

— Tu ne pars pas aujourd'hui. Je croyais que nous nous étions mis d'accord.

Kimberley tenta en vain de se rappeler si elle avait dit quelque chose qui aurait pu donner cette impression à Luciano.

— Tu te trompes, protesta-t-elle en secouant la tête.

Il s'approcha d'elle et passa une main possessive dans ses cheveux.

— Avons-nous, oui ou non, passé toute la nuit à faire l'amour ?

Elle sentit ses joues s'enflammer.

— Oui, mais…

— Etait-ce, oui ou non, l'expérience la plus hallucinante de ta vie ?

Elle déglutit péniblement en s'efforçant d'ignorer la vive excitation qui l'envahissait peu à peu. Il fallait à tout prix résister à la tentation…

— Oui, en effet, acquiesça-t-elle d'une voix rauque. Mais ça ne change rien au fait que je dois m'en aller.

Le sourire de Luciano s'évanouit et il la regarda avec une incompréhension manifeste.

— Pourquoi ?

— Parce qu'il faut que je rentre chez moi.

— Problème facile à résoudre. A présent, chez toi, c'est ici. Avec moi.

Kimberley écarquilla les yeux, tandis qu'un espoir fou naissait au plus profond d'elle.

— Tu… tu veux que je vive avec toi ?

— Bien sûr. Sexuellement, c'est explosif entre nous. Il faudrait que je sois stupide pour te laisser partir. Donc tu restes. Tant que nous nous entendons aussi bien, pourquoi nous séparer ?

« Tant que nous nous entendons aussi bien »… L'espoir de Kimberley s'évanouit. Comment avait-elle pu imaginer que Luciano éprouvait le moindre sentiment pour elle ? Il en était incapable…

— Tu me prends pour qui ? demanda-t-elle d'une voix glaciale.

— Tu ne comprends pas, déclara-t-il, visiblement décontenancé. Je te propose d'emménager avec moi et…

— J'ai parfaitement compris. Sexe à volonté, jusqu'à ce que tu te lasses de moi.

Elle prit une chemise de nuit et la plia.

— Très pratique pour toi, très précaire pour moi. Alors non merci.

Elle mit la chemise de nuit dans son sac d'un geste rageur.

— Non merci ?

Les yeux noirs de Luciano la scrutaient avec incrédulité.

— Te rends-tu compte que c'est la première fois de ma vie que je fais une telle proposition à une femme ? Il faudra que je m'absente tous les jours pour travailler, mais, crois-moi, nous passerons beaucoup de temps ensemble, *meu amorzinho.* J'aurai une excellente raison de rentrer tôt du bureau.

De toute évidence, il s'imaginait que cette promesse suffirait à l'inciter à défaire aussitôt son sac ! comprit-elle avec effarement.

— Désolée, mais le sexe ne me suffit pas.

Il arqua les sourcils.

— Insinuerais-tu que tu n'es pas satisfaite ? J'ai du mal à te croire.

— Mais non, rassure-toi ! Tu es un amant fantastique. Toutefois, pour le reste, je suis désolée de t'apprendre que tu es nul.

— Le reste ?

De toute évidence, il était sincèrement perdu, songea-t-elle avec découragement en fermant le sac.

— Oui, le reste ! Tout ce qui fait la richesse d'une relation. Mais tu ne vois pas à quoi je fais allusion, parce que pour toi une femme n'existe que quand elle est nue dans ton lit, n'est-ce pas ?

Elle lâcha le sac et leva les bras dans un geste de pure exaspération.

— Te rends-tu seulement compte que nous ne sommes jamais sortis ensemble, Luciano ? Jamais. A quoi bon m'acheter des tenues plus élégantes les unes que les autres si je n'ai jamais l'occasion de m'habiller ? Nous n'avons pas quitté cette île une seule fois !

— Il n'y avait aucune raison. Nous avons tout ce qu'il nous faut ici.

— Bien sûr ! Parce que tout ce dont on a besoin quand on ne pense qu'au sexe, c'est un grand lit. Et encore !

Luciano plissa les paupières.

— Tu es trop émotive.

— En effet.

Elle rejeta la tête en arrière et ses cheveux flamboyants lui balayèrent le dos.

— Je suis une femme et j'aime me laisser submerger par mes émotions. Que tu le croies ou non, je suis ravie d'être capable d'éprouver des sentiments. Tu devrais essayer, un jour. Ça te serait sans doute très bénéfique.

Luciano serra les dents.

— Je ne peux pas discuter avec toi quand tu es dans cet état.

— Tu ne peux jamais discuter avec moi, quel que soit l'état dans lequel je suis.

Kimberley prit le sac sur le lit.

— Je reconnais que tu as fait des efforts dans ce domaine, mais tu ne m'as livré que des bribes d'informations. Tu ne me laisses jamais approcher le vrai Luciano.

— Le vrai Luciano t'a tenue dans ses bras pendant deux semaines. Que veux-tu de plus ?

Kimberley sentit toute son énergie l'abandonner.

Il ne comprenait pas. Il ne comprendrait jamais. Inutile d'insister.

— Justement, ces deux semaines sont terminées, rappela-t-elle sèchement en portant le sac jusqu'à la porte de la chambre. Je prends l'avion pour Londres cet après-midi et je te serais reconnaissante de demander à ton pilote de me conduire à l'aéroport. Je retourne auprès de mon fils. Tu sais, ce fils dont tu nies toujours l'existence !

Luciano la contempla un moment en silence. Puis il marmonna quelques mots en brésilien et pivota sur lui-même. Il quitta la pièce sans un regard en arrière.

Abattue, Kimberley poussa un profond soupir. Comment avait-elle pu caresser l'espoir qu'il lui offrirait autre chose qu'une place dans son lit ?

Quelle naïveté !

Luciano ne changerait jamais et elle non plus.

C'était une réalité que le désir brûlant qu'ils éprouvaient l'un pour l'autre avait tendance à lui masquer : ils ne partageraient jamais rien d'autre qu'une passion purement charnelle.

Kimberley prit une profonde inspiration. Peu importait. Grâce à elle, son fils était en sécurité. C'était l'essentiel.

La vie pouvait reprendre son cours normal.

8.

A l'heure du déjeuner, Luciano n'avait toujours pas réapparu. Kimberley regarda sa montre avec une anxiété croissante. Elle allait finir par rater son avion !

En milieu d'après-midi, elle avait perdu tout espoir. A moins de nager ou de faire signe à un bateau, elle n'avait aucune possibilité de regagner le continent…

Quand elle entendit enfin l'hélicoptère, elle bondit sur ses pieds. Elle n'arriverait pas à temps à l'aéroport pour prendre son avion, mais, avec un peu de chance, peut-être trouverait-elle une place sur le vol suivant.

Impatiente de quitter l'île au plus vite, elle prit son sac et traversa le jardin pour gagner l'héliport. La chaleur était accablante. Elle échangea quelques banalités avec le pilote, puis monta à bord, impatiente de se mettre à l'ombre.

Quelques instants plus tard, elle eut le souffle coupé en voyant Luciano se diriger vers l'appareil. Seigneur ! Pourquoi était-il aussi séduisant ? Son maillot de bain avait été remplacé par un costume à la coupe impeccable qui mettait en valeur son corps parfait.

D'accord, il était beau à se damner. Mais ça ne suffisait pas à construire une relation, se reprit-elle en détournant les yeux.

Luciano échangea quelques mots avec un de ses gardes

du corps, puis il la rejoignit et s'installa à côté d'elle dans l'hélicoptère.

— Que fais-tu ? s'exclama-t-elle, interloquée.

— J'ai décidé de te prouver que je suis capable de fréquenter les femmes ailleurs que dans mon lit, répliqua-t-il en bouclant sa ceinture de sécurité. Puisque tu ne veux pas rester ici, je viens avec toi.

Elle resta sans voix pendant quelques secondes.

— A... Londres ? finit-elle par bredouiller.

Luciano, traverser l'Atlantique uniquement pour rester avec elle ? Impossible.

— Tu as des affaires à régler là-bas ? balbutia-t-elle.

— Comme partout dans le monde. Et depuis quelques heures, je ressens le besoin irrépressible d'aller sur place m'en occuper personnellement, répliqua-t-il d'un air entendu.

Il se pencha vers le pilote pour lui donner ses instructions.

— Il n'est pas certain que nous puissions partir aujourd'hui, déclara-t-elle d'un ton crispé. Nous avons raté l'avion.

Il eut un sourire malicieux.

— Ne t'inquiète pas. Il ne décollera pas sans moi.

Elle jeta un coup d'œil à sa montre.

— Il décolle dans dix minutes. Et malgré ton immense pouvoir, je serais étonnée que tu puisses imposer à la compagnie de retarder le vol.

— Ce n'est pas nécessaire, déclara-t-il d'un ton désinvolte en étendant les jambes. C'est mon jet privé qui nous attend.

Kimberley ouvrit de grands yeux.

— Tu possèdes ton propre avion ?

— Bien sûr.

Il eut un petit sourire ravi.

— En tant que dirigeant d'une multinationale, je suis amené

à me déplacer dans le monde entier. Comment t'imaginais-tu que je voyageais ? En tapis volant ?

Les joues en feu, Kimberley serra les dents. De toute évidence, sa stupéfaction amusait beaucoup Luciano.

— Je pensais que tu prenais des avions de ligne comme tout le monde.

Le sourire de Luciano s'élargit.

— Je ne suis pas comme tout le monde.

Il se pencha vers elle et ajouta d'une voix profonde :

— Après deux semaines passées dans mon lit, tu devrais le savoir.

A son grand dam, Kimberley sentit tout son corps s'enflammer. Non ! Elle devait absolument se détacher de lui. Il n'était pas question de rester esclave de ce désir qui la poussait irrésistiblement vers un homme qui ne l'aimerait jamais.

Malgré tout, elle ne parvenait pas à réprimer le sentiment d'euphorie qui la gagnait.

A l'aéroport, Kimberley fut très impressionnée par l'accueil de l'équipage du jet. Et encore davantage par le luxe de la cabine.

— C'est aussi confortable qu'un appartement, murmura-t-elle en promenant autour d'elle un regard ébloui.

— Le confort est essentiel quand on voyage souvent, commenta Luciano d'un ton désinvolte. Je dispose d'une salle de bains, d'une salle de réunion, d'une petite salle de projection… et d'une chambre, bien entendu.

Aussitôt, Kimberley sentit une vive excitation l'envahir. A en juger par son regard brûlant, Luciano comptait s'y enfermer avec elle au cours du voyage…

Il lui indiqua le canapé.

— Assieds-toi. Nous n'avons pas déjeuné et je meurs de faim. Une excellente bouteille de Cristal nous attend.

Ils furent servis par un personnel aussi efficace que discret.

— Que comptes-tu faire pendant ton séjour à Londres ? demanda Kimberley après avoir bu une gorgée de champagne.

Il haussa les sourcils d'un air moqueur.

— Si tu éprouves le besoin de me poser cette question, c'est que je ne t'ai pas expliqué assez clairement le but de mon voyage.

A son grand désarroi, Kimberley sentit son cœur se gonfler de joie. Elle ne devrait pourtant pas se réjouir, se morigéna-t-elle. Malheureusement, c'était plus fort qu'elle.

— Tu viens vraiment à Londres pour être en ma compagnie ? demanda-t-elle d'une voix étranglée.

— Tu penses que c'est juste pour changer d'air ?

Elle ne put s'empêcher de pouffer. Vu le cadre idyllique dans lequel il vivait d'ordinaire, ce serait stupide.

— J'ai du mal à croire que tu aies modifié tes projets uniquement pour rester avec moi, reconnut-elle.

— Que veux-tu, c'est tellement explosif entre nous que je ne peux plus me passer de toi, *meu amorzinho.*

L'espoir qui commençait à naître dans le cœur de Kimberley s'évanouit. Son intérêt pour elle était strictement sexuel. Elle le savait. Alors pourquoi ne pouvait-elle s'empêcher de se bercer d'illusions ? se demanda-t-elle, irritée contre elle-même. Dire que, l'espace d'un instant, elle s'était imaginé qu'il avait envie d'approfondir leur relation…

— Je préfère t'avertir que je ne serai pas très disponible, annonça-t-elle d'un ton crispé. Je vais être très prise par ma société. Et par mon fils.

Un fils à l'existence duquel il ne croyait toujours pas, se rappela-t-elle avec amertume.

— Contrairement à toi, je n'emploie pas une foule de gens qui travaillent à ma place. Après une absence de deux semaines, je vais avoir un retard énorme à rattraper.

— Ma suite à l'hôtel comprend des bureaux que je serais ravi de mettre à ta disposition, déclara-t-il d'un ton posé. Avec tout le personnel nécessaire.

— Je n'ai pas besoin de bureaux. Après deux semaines d'absence, j'ai surtout beaucoup de gens à voir.

— Je suppose que tu pourras quand même m'accorder tes soirées et tes nuits.

Kimberley s'efforça de réprimer la bouffée de désir qui la submergeait. Il fallait répondre non. Elle devait à tout prix lui dire que leur relation était terminée.

— Je pourrai peut-être te retrouver de temps en temps pour le dîner, répondit-elle d'un ton qu'elle espérait neutre.

Une fois que Rio serait endormi, pourquoi ne pas s'accorder ce plaisir ? songea-t-elle piteusement. Inutile de se voiler la face. Elle était déjà éperdument amoureuse de Luciano. Que pouvait-elle craindre de pire ?

Ils atterrirent en début de matinée et furent pris dans les embouteillages qui encombraient quotidiennement les abords de la capitale britannique. Dans la voiture, Luciano eut tout le temps de s'interroger sur l'étrangeté de sa propre conduite. C'était la première fois de sa vie qu'il décidait sur un coup de tête de traverser l'océan pour suivre une femme !

Et pour avoir la confirmation que son comportement était tout à fait inhabituel, il lui suffisait de regarder le visage de Kimberley. Difficile de dire lequel des deux était le plus ébahi, songea-t-il avec dérision.

Cependant, il y avait une explication très simple à cet accès de folie. Une entente sexuelle hors du commun. Et ce n'était pas la nuit qu'ils venaient de passer dans l'avion qui risquait de le faire changer d'avis !

— Je ne t'ai même pas demandé où tu habitais, dit-il en prenant un air dégagé.

— Tu peux me déposer où tu veux, éluda-t-elle. Je rentrerai chez moi par mes propres moyens.

Il l'observa attentivement. Allait-elle retrouver son amant ?

— Très bien.

A en juger par le soulagement qu'elle manifesta en constatant qu'il n'insistait pas, Luciano comprit avec un pincement au cœur que ses soupçons étaient fondés. Quand elle lui avait assuré ne pas avoir d'homme dans sa vie, elle lui avait menti…

Alors qu'ils approchaient des bureaux de Santoro Investments, situés sur Canary Wharf comme bon nombre d'autres banques d'affaires, il se mit à pleuvoir à torrents.

— Mon chauffeur va te conduire chez toi, déclara Luciano en embrassant Kimberley. Je commanderai à dîner pour 20 heures.

Et après le dessert, il s'emploierait à lui faire oublier les autres hommes…

Il donna des instructions à son chauffeur en brésilien et descendit de voiture. Nul doute qu'il allait semer la panique dans les bureaux, songea-t-il en réprimant un sourire. Personne n'était au courant de son arrivée !

Accompagné des deux gardes du corps qui l'avaient suivi dans une autre voiture, Luciano se dirigea vers l'immeuble en tentant de se rappeler comment il avait prévu d'expliquer à ses collaborateurs londoniens cette visite impromptue.

*
* *

Kimberley passa la journée à régler des problèmes urgents, à discuter avec Jason et à surveiller sa montre, impatiente d'aller chercher son fils.

Quand Rio apparut à la grille de l'école, elle fut frappée par sa ressemblance avec son père. Il avait les mêmes cheveux de jais, les mêmes yeux noirs et le même air déterminé. Elle le serra contre elle, le cœur débordant de tendresse. Il lui avait tellement manqué !

Ils bavardèrent avec animation pendant le trajet jusqu'à l'appartement qu'ils partageaient avec Jason. Rio était intarissable. Il avait une foule d'anecdotes à raconter, et la conversation se poursuivit dans la cuisine pendant qu'ils prenaient le thé.

Kimberley venait de débarrasser l'assiette de Rio quand on sonna à la porte.

Jason se leva en souriant.

— J'y vais. Vous avez encore des tas de choses à vous raconter, tous les deux.

Le jeune homme revint quelques secondes plus tard avec un regard étrange.

— Qui était… ?

Kimberley s'étrangla en voyant la silhouette athlétique qui se dressait derrière Jason. Elle eut l'impression que son cœur s'arrêtait brusquement de battre dans sa poitrine.

— Luciano ? Je devais te retrouver à 20 heures.

Les jambes tremblantes, Kimberley s'appuya à l'évier. Que faisait-il là ?

— J'ai terminé tôt et j'ai décidé de te faire une surprise.

Sa voix était dangereusement crispée, constata-t-elle en déglutissant avec difficulté.

— Mais… tu ne connaissais pas mon adresse…

Il eut un sourire froid.

— Tu as fait de ton mieux pour me la cacher, en tout cas. J'ai voulu savoir pourquoi.

Il jeta un coup d'œil lourd de sous-entendus à Jason. Mais tout à coup, il vit Rio et ses yeux s'écarquillèrent. Il resta un instant interdit, puis une vive émotion se peignit sur son visage.

— *Meu Deus…*

A en juger par sa voix étranglée et sa pâleur soudaine, il était bouleversé, comprit Kimberley, la gorge nouée.

— Je te l'ai dit…, commença-t-elle.

Il darda sur elle un regard accusateur.

— Je ne t'avais pas crue et tu le sais très bien.

— Nous… ferions mieux de sortir pour discuter, bredouilla-t-elle, affolée.

Pendant un moment qui lui parut interminable, Luciano resta silencieux. Quand il retrouva enfin la parole, ce fut pour dire d'une voix blanche qu'elle ne lui connaissait pas :

— Pourquoi ? Pourquoi est-ce que je découvre la vérité seulement aujourd'hui ? Après sept ans ? Et par hasard ?

La rage froide de Luciano remplissait la pièce d'une tension palpable. Kimberley était au bord de la panique. Pourvu que Rio ne soit pas trop effrayé ! songea-t-elle en s'apprêtant à prendre son fils dans ses bras. Mais elle se ravisa. Il ne semblait pas perturbé le moins du monde. En fait, il regardait son père avec une fascination manifeste.

— C'est drôle, tu me ressembles, dit tout à coup le petit garçon.

Luciano tressaillit.

— C'est vrai.

Kimberley ferma les yeux. Pourquoi Rio n'avait-il pas hérité au moins de ses cheveux roux ? La ressemblance entre le père et le fils était si flagrante qu'il ne pouvait y avoir aucun doute sur leur parenté.

Et contre toute attente, Luciano était visiblement déchiré par cette révélation.

Pour la première fois depuis qu'elle le connaissait, les sentiments qu'il éprouvait étaient gravés sur son visage. Comme si son âme était soudain mise à nu…

Ecrasée par un sentiment de culpabilité insupportable, elle déglutit péniblement. Pourvu que Luciano ne dise rien qui puisse perturber Rio !

A son grand soulagement, elle vit ses traits s'adoucir tandis qu'il s'accroupissait pour se mettre au niveau du petit garçon.

— Bonjour, je m'appelle Luciano.

Le cœur battant à tout rompre, Kimberley ne quittait pas son fils des yeux. Pour la première fois de sa vie, il était en face de son père et il ne le savait même pas…

— Tu fais une drôle de tête, dit Rio à Luciano avec la spontanéité confondante des enfants. Tu es fâché ?

— Non, pas du tout, répondit Luciano d'une voix mal assurée.

Il eut un sourire hésitant.

— Je ne m'attendais pas à te rencontrer. C'est tout.

— Je m'appelle Rio.

— C'est un très beau prénom.

— Maman m'a appelé comme ça à cause d'une ville, confia Rio en se laissant glisser de sa chaise.

Il se dirigea vers un mur de la cuisine, recouvert de dessins, de photos et de cartes postales.

— Regarde.

Il détacha une carte du mur et la tendit à Luciano avec une fierté manifeste.

— C'est la statue du *Cristo Redentor* sur le Corcovado, expliqua-t-il. La ville s'appelle Rio de Janeiro. Un jour, j'irai là-bas. Maman me l'a promis. Mais c'est très loin et nous n'avons pas assez d'argent pour l'instant. Nous faisons des économies.

Il y eut un long silence, tandis que Luciano contemplait la

carte. Quand il finit par lever les yeux, ce fut pour darder sur Kimberley un regard dur.

— Luciano…

— Pas maintenant, coupa-t-il d'un ton cinglant.

Puis il se tourna vers Rio.

La métamorphose que subissait Luciano quand il regardait son fils était impressionnante, songea Kimberley, fascinée. Ses traits s'adoucissaient, transformant son visage.

— C'est une très belle photo, déclara-t-il avec douceur.

Il caressa la tête du petit garçon.

— Ces dessins sur le mur, c'est toi qui les as faits ?

— Oui. Plus tard, je serai un artiste, répondit Rio en glissant sa main dans la sienne pour l'entraîner vers le mur.

Il lui montra un dessin.

— C'est mon préféré.

Luciano hocha la tête.

— Je comprends pourquoi. Il est particulièrement réussi.

Il étudia avec attention chacun des dessins.

De plus en plus écrasée par le poids de la culpabilité, Kimberley sentait son cœur se serrer.

Elle avait pris la mauvaise décision, elle le savait à présent. Comment avait-elle pu les priver l'un de l'autre ?

— Tu peux le prendre si tu veux, proposa Rio avec générosité.

Manifestement bouleversé, Luciano déclara d'une voix étranglée :

— Merci. C'est un cadeau qui me touche beaucoup.

Il décolla le dessin du mur avec précaution, puis il commença une longue conversation avec son fils.

Kimberley n'en croyait pas ses yeux. Jamais elle n'aurait imaginé qu'il pourrait être aussi à l'aise avec un enfant de six ans…

Quand Luciano regarda sa montre, au bout d'un long moment, ce fut visiblement à contrecœur.

— Je dois partir.

Rio fronça les sourcils.

— Est-ce que je vais te revoir ?

— Oh, oui, répondit Luciano d'une voix douce. Tu me reverras très bientôt.

Le cœur battant à tout rompre, Kimberley s'avança vers lui.

— Luciano…

Il la toisa d'un air méprisant.

— 20 heures.

Sa voix était glaciale.

— J'enverrai mon chauffeur te chercher. Nous aurons une longue discussion, ce soir. Toi qui me trouvais nul dans ce domaine, tu risques d'être surprise.

9.

Devant la porte de la suite de Luciano, Kimberley fut submergée par une vague de panique.

Etait-il toujours aussi furieux ?

De toute façon, une discussion houleuse l'attendait.

Or, elle ne se sentait pas du tout prête pour un affrontement. Sept ans plus tôt, elle avait fini par se convaincre que même si elle avait réussi à parler à Luciano pour l'informer de sa grossesse, il n'aurait jamais assumé son rôle de père.

Mais aujourd'hui, en le voyant discuter avec son fils, le sentiment de culpabilité resté plus ou moins enfoui pendant toutes ces années s'était de nouveau imposé à elle avec une violence insupportable.

Luciano avait paru si bouleversé… Et si à l'aise avec Rio ! De toute évidence, le courant était immédiatement passé entre eux. Ce qui ne faisait qu'accroître ses remords…

Prenant une profonde inspiration, elle se décida à sonner.

Un garde du corps lui ouvrit et la conduisit dans l'immense salon, où Luciano l'attendait.

Il la toisa sans un mot, le visage fermé.

Le silence se prolongea pendant un moment qui parut interminable à Kimberley. Finalement, incapable de supporter plus longtemps la tension qui montait entre eux, elle commença d'une voix étranglée :

— Luciano…

— Je ne veux rien entendre avant que nous ayons résolu le problème du maître chanteur. Donne-moi cette lettre.

Elle fouilla dans son sac et lui tendit la lettre, qui ne la quittait jamais.

— Elle ne comporte aucun indice permettant d'identifier son expéditeur, expliqua-t-elle. Il…

— Ce n'est pas ton rôle de chercher des indices.

Luciano décrocha le téléphone et prononça deux mots en brésilien. Quelques instants plus tard, un homme que Kimberley reconnut comme le chef de son équipe de sécurité entra dans la pièce.

Il échangea quelques mots avec Luciano, prit la lettre, puis sortit de la pièce après avoir adressé un sourire bienveillant à Kimberley.

— Il n'a aucune question à me poser ? demanda-t-elle, stupéfaite.

— Je choisis les membres de mon personnel en fonction de leurs compétences et je leur fais entièrement confiance. En matière de sécurité, Ronaldo est le meilleur. S'il éprouve le besoin de t'interroger, il le fera. Pour l'instant, des dispositions ont été prises pour que Rio soit sous protection vingt-quatre heures sur vingt-quatre, chez toi comme à l'extérieur.

Kimberley sentit son cœur faire un bond dans sa poitrine.

— Tu penses qu'il est toujours en danger ?

— Je ne veux prendre aucun risque. Il restera sous protection jusqu'à ce que je puisse l'emmener au Brésil.

La pièce se mit à tourbillonner autour de Kimberley.

— Il n'est pas question que tu emmènes mon fils au Brésil ! Je sais que tu es furieux contre moi, mais…

— *Notre* fils, Kimberley. Nous sommes en train de parler de *notre* fils. Et « furieux » est un mot beaucoup trop faible pour décrire ce que je ressens. J'attends une explication. Même si c'est stupide de ma part. Parce qu'il n'existe aucune explication valable à ta conduite. Rien ne peut justifier que tu m'aies caché pendant sept ans que j'avais un fils.

— Je te l'ai dit il y a deux semaines…

— Parce que tu avais besoin de mon aide ! Sans le maître chanteur, je n'aurais jamais appris la vérité.

Luciano se mit à arpenter la pièce à grands pas.

— Je n'arrive pas à croire que tu m'aies privé de mon fils !

L'indignation vertueuse de Luciano finit par hérisser Kimberley. Peut-être pourrait-il s'interroger sur sa part de responsabilité dans cette situation ?

— Je te rappelle qu'à l'époque où je suis tombée enceinte tu ne daignais même pas me parler au téléphone.

Pourquoi fallait-il que sa voix tremble ? se demanda-t-elle avec dépit. Mais peu importait. Elle devait absolument lui rappeler à quel point il avait été odieux avec elle.

— J'ai essayé à plusieurs reprises de te prévenir, mais je n'ai pas réussi à franchir le barrage que tu avais dressé autour de toi.

— Tu n'as pas dû faire beaucoup d'efforts.

— J'ai téléphoné des dizaines de fois, mais tu refusais de prendre mes appels ! s'écria-t-elle, révoltée. Et quand j'ai fini par venir à ton bureau, tu as non seulement refusé de me recevoir, mais tu as donné l'ordre à ton chauffeur de me conduire à l'aéroport et de me mettre dans l'avion. Tu as voulu te débarrasser de moi, Luciano ! C'est toi qui m'as obligée à partir !

Il arborait un air moins méprisant, tout à coup, constata-t-elle avec satisfaction. Il semblait même légèrement embarrassé ! Ce qui était inespéré…

— Je croyais que tu voulais discuter de notre relation, marmonna-t-il.

— Eh bien, tu te trompais ! Je voulais t'annoncer que j'étais enceinte. Mais tu ne m'en as pas laissé l'occasion. Alors je suis rentrée chez moi et je me suis débrouillée seule. Et si j'ai utilisé tes cartes de crédit, c'est parce que je n'ai pas pu faire autrement.

Elle sortit de son sac une liasse de papiers.

— Voici les factures. De tout ce que j'ai acheté, jusqu'au dernier paquet de couches. Tu peux vérifier, il n'y a pas une seule robe ni une seule paire de chaussures. Ton argent a été entièrement consacré à ton fils, précisa-t-elle en lui mettant les papiers dans les mains.

Luciano resta silencieux un instant. Son visage était d'une pâleur inhabituelle.

— Je ne pouvais pas deviner que tu étais enceinte.

— Bien sûr que non ! s'exclama Kimberley avec exaspération. C'est pour ça que j'ai essayé de te le dire. Mais tu ne voulais plus entendre parler de moi.

Elle sentit des sanglots lui nouer la gorge.

— De toute façon, que se serait-il passé si j'avais réussi à t'informer ? C'était fini entre nous. Tu ne restais jamais plus d'un mois avec la même femme.

Il jeta les papiers sur le canapé le plus proche sans y avoir jeté un seul coup d'œil, puis se mit à arpenter la pièce à grands pas.

— Je n'aurais jamais abandonné un enfant...

— Mais un enfant, c'est accompagné d'une mère. Compliqué, n'est-ce pas ? Aurais-tu abandonné ta vie de séducteur pour offrir un foyer à ton fils ?

Il passa les doigts dans ses cheveux, visiblement décontenancé.

— Je n'en sais rien... Mais découvrir la vérité de cette manière, sept ans après, c'est une situation extrêmement pénible.

— Vraiment ? Et se retrouver enceinte à dix-huit ans d'un homme qui refuse de vous adresser la parole, alors qu'on est seule, sans travail et sans domicile dans un pays étranger, tu crois que ce n'est pas une situation extrêmement pénible ?

Il eut une moue contrite.

— Tu devais bien avoir de la famille qui pouvait t'aider…

— Elle aurait pu, mais elle n'a pas voulu.

Le cœur de Kimberley se serra douloureusement, comme chaque fois qu'elle évoquait ses parents. Dire qu'ils l'avaient rejetée… Elle avait encore du mal à le croire. Comment pouvait-on refuser de venir en aide à son enfant ? C'était inconcevable. Quoi qu'il arrive, elle serait toujours là pour Rio.

— Ils n'approuvaient pas ma carrière de mannequin, précisa-t-elle. Mais quand je l'ai abandonnée pour m'installer chez toi, leur indignation a été à son comble.

— Ils auraient dû au moins t'aider financièrement, commenta Luciano, visiblement choqué.

— Peut-être. Mais on n'a pas toujours ce qu'on mérite dans la vie. Et les gens ne se comportent pas toujours comme ils le devraient.

A la grande satisfaction de Kimberley, Luciano parut troublé.

— Reconnais que tu portes une part de responsabilité dans la situation que tu vis aujourd'hui, poursuivit-elle. Et cesse de me faire la morale, comme si tu étais irréprochable. Parce que c'est loin d'être le cas.

Les jambes tremblantes, elle pivota sur elle-même et se dirigea vers la sortie. Seigneur ! Elle avait besoin d'air ! Le passé la rattrapait et il fallait absolument qu'elle lui échappe.

— Tu ne sortiras pas d'ici.

Elle se retourna et releva le menton d'un air de défi.

— Essaie de m'en empêcher ! Cette conversation ne mènera visiblement à rien et je suis épuisée.

— Dans ce cas, asseyons-nous, proposa-t-il d'une voix

conciliante en indiquant le canapé. Nous avons encore beaucoup de choses à nous dire.

— Peut-être, mais nous sommes incapables de discuter sans nous quereller. Or, j'en ai assez entendu pour ce soir. Je rentre chez moi. Quand tu te seras calmé et que tu auras renoncé à rejeter tous les torts sur moi, nous pourrons peut-être faire une nouvelle tentative.

Il crispa la mâchoire.

— J'ai prévu un dîner.

— Je préférerais mourir de faim plutôt que de dîner avec toi.

Elle ouvrit la porte et, ignorant le regard ébahi du garde du corps qui se trouvait juste derrière, elle lança :

— Et si tu as le cœur à manger, c'est que tu es encore plus insensible que je ne le pensais.

Après une nuit blanche passée à revivre chaque instant de leur conversation, Kimberley, assise à la table de la cuisine, buvait un café noir quand la sonnerie de la porte retentit.

C'était Luciano. A en juger par les cernes qui creusaient ses yeux, il n'avait pas passé une meilleure nuit qu'elle. Il restait néanmoins très séduisant, reconnut-elle avec un pincement au cœur.

— Je peux entrer ? demanda-t-il d'un air circonspect.

— Pour quoi faire ? Pour m'accabler de nouveaux reproches ? Pour me lancer de nouvelles accusations au visage ?

Luciano prit une profonde inspiration.

— Ni reproches ni accusations, dit-il. Mais nous devons discuter.

— Comme hier soir ? Merci, mais je n'en ai aucune envie.

— Hier soir, j'étais en état de choc. J'ai eu le temps de me calmer. Il faut absolument que je te parle. Vas-tu me laisser entrer, oui ou non ?

A quoi bon refuser ? songea Kimberley avec lassitude. Quand elle l'avait quitté la veille, elle était consciente qu'elle ne faisait que retarder l'inévitable…

Elle s'écarta pour lui laisser le passage. Il se dirigea tout droit vers la cuisine.

— C'est une pièce agréable, déclara-t-il en regardant par la porte-fenêtre qui ouvrait sur un minuscule jardin. Tu as bien choisi ton appartement.

— Merci.

Etant donné que celui-ci était moins grand que certaines pièces de sa villa, il fallait prendre ce commentaire comme un compliment, décida-t-elle.

Il promena son regard autour de lui.

— Jason habite avec toi depuis le début ?

— Oui, répondit-elle en préparant le café. C'était le seul ami que j'avais à l'époque.

— Il a de la chance de n'avoir aucun penchant pour les femmes.

— Pourquoi ? demanda Kimberley, interloquée.

— Parce que ça lui évite de faire l'expérience de mon direct du gauche.

— Je te rappelle que quand je suis rentrée à Londres, nous n'étions plus ensemble, dit-elle en s'efforçant de masquer sa surprise. Je pouvais légitimement fréquenter qui je voulais.

Elle servit deux tasses de café qu'elle posa sur la table.

— Tu fréquentais beaucoup d'hommes à l'époque ? demanda-t-il d'un ton crispé.

Elle poussa un soupir exaspéré.

— Non ! Pour la bonne raison que je me consacrais entièrement à mon bébé. Et pour être très franche, mon expérience avec toi m'avait dégoûtée des hommes.

— Vraiment ?

Il but une gorgée de café.

— Ce n'est pas l'impression que j'ai eue au cours des deux semaines que nous venons de passer ensemble.

Sous son regard pénétrant, Kimberley sentit ses joues s'enflammer.

Sans lui laisser le temps de réagir, il poursuivit d'une voix suave.

— Mais peut-être te croyais-tu dégoûtée des hommes uniquement parce que tu n'es jamais parvenue à en trouver un qui soit à la hauteur.

Kimberley serra les dents. Quelle arrogance ! Il était vraiment exaspérant ! Même s'il avait raison.

Surtout parce qu'il avait raison…

Mais pas question de le reconnaître.

— Ton ego est décidément démesuré, déclara-t-elle en secouant la tête.

— J'ai raison et tu le sais aussi bien que moi. Il est temps de nous montrer honnêtes l'un envers l'autre. C'est indispensable si nous voulons que notre mariage soit une réussite.

Elle faillit laisser tomber sa tasse de café.

— Notre mariage ?

— Bien sûr.

Il haussa les épaules avec désinvolture.

— Nous avons un enfant. Il semble logique que nous vivions ensemble.

Effarée, Kimberley resta sans voix.

— D'autant plus que nous avons pu vérifier, ces dernières semaines, que nous nous entendions à merveille, ajouta-t-il avec un sourire irrésistible.

Kimberley bondit sur ses pieds, outrée.

— Le sexe ne constitue pas une base assez solide pour un mariage !

Le sourire de Luciano s'évanouit.

— Nous avons un fils, rappela-t-il sèchement. Ne serait-ce que pour lui, le mariage est la solution qui s'impose.

— C'est insensé !

Luciano regarda Kimberley avec une incrédulité manifeste.

— Est-ce une manière de répondre à une demande en mariage ?

— Tu ne m'as pas demandée en mariage, répliqua-t-elle avec amertume. Tu es simplement venu m'annoncer que nous allions nous marier parce que, selon toi, c'est la meilleure solution pour notre enfant.

Elle se mit à arpenter la cuisine pour tenter de calmer sa colère et sa frustration.

— Jamais je ne me suis sentie aussi insultée de ma vie !

— Insultée ? *Meu Deus*, comment peux-tu dire ça ? Je viens de te demander de m'épouser !

— Et tu t'imaginais que j'allais accepter avec enthousiasme, bien sûr ! Mais pour quelle raison accepterais-je ? Parce que c'est un honneur et que je devrais me sentir flattée ?

— Parce que c'est la meilleure solution pour notre enfant.

Il posa sur elle un regard noir.

— Et parce que c'est ce que les femmes attendent des hommes.

Malheureusement, il avait encore raison, reconnut intérieurement Kimberley. C'était ce qui la perturbait le plus. Elle rêvait qu'il la demande en mariage…

Mais pas de cette façon !

— Désolée, mais pour ma part je n'imagine rien de pire que de lier ma vie à la tienne.

— Je n'en crois pas un mot.

— Pas étonnant ! Tu as une si haute idée de toi-même… Mais sache que pour moi, le mariage avec toi serait un cauchemar.

Je ne pourrais jamais sortir seule parce que tu es trop macho pour me faire confiance. Et je ne pourrais jamais sortir avec toi non plus parce que c'est uniquement quand je suis dans ton lit que je t'intéresse !

Soudain très pâle, Luciano inspira profondément.

— Tu es trop sentimentale.

— Mais enfin, que fais-tu de l'amour et de l'affection ? J'ai grandi auprès d'un homme comme toi. Mon père ne pouvait s'empêcher de coucher avec toutes les femmes qu'il croisait. Chez nous, c'était un défilé incessant de maîtresses. J'en ai terriblement souffert et il n'est pas question que j'inflige une enfance aussi instable à mon fils.

— Je ne me conduirai jamais ainsi ! protesta Luciano avec une mine outragée. Il est vrai qu'il n'y a pas d'amour entre nous, mais on peut construire un mariage solide sur d'autres bases.

— Le sexe, par exemple ?

Kimberley lui lança un regard sarcastique.

— Pour qu'un mariage fonctionne, il faut être capable de se supporter ailleurs que dans un lit. Surtout quand on a un enfant.

Il la considéra attentivement.

— Tu voudrais que nous passions du temps ensemble ailleurs que dans un lit ? C'est bien ça ?

— Tu parles comme si tu étais en train de négocier un contrat.

— D'une certaine manière, c'est le cas. Nous avons intérêt à nous mettre d'accord.

— Je ne vois pas pourquoi.

— Tu veux que Rio grandisse sans connaître son père ?

Elle se mordit la lèvre.

— Non, mais…

— Donc, tu estimes comme moi que notre mariage serait une bonne solution pour lui ?

— Eh bien… oui.

— Dans ce cas, dis-moi quelles sont tes conditions.

Elle le regarda avec stupéfaction.

Désirait-il donc à ce point vivre avec son fils ?

— Ce n'est pas aussi simple. Je…

— Si. C'est aussi simple que ça. Pose tes conditions. Je les accepterai.

C'était très simple, en effet, songea-t-elle avec une ironie amère. Elle voulait qu'il l'aime. Mieux valait ne pas imaginer la tête qu'il ferait si elle formulait cette exigence… Il s'imaginait pouvoir lui accorder tout ce qu'elle demanderait, mais il allait se rendre compte de son erreur. Car elle allait lui demander l'impossible…

— Récapitulons. Je te dicte mes conditions, tu les acceptes et nous nous marions.

— C'est ça.

Il eut un sourire confiant, manifestement certain d'être parvenu à ses fins.

— Tu es bien sûr d'être prêt à tout ? insista-t-elle.

— Oui.

— Vraiment ?

— Puisque je te le dis !

Elle croisa les bras. Après tout, qu'avait-elle à perdre ?

— Très bien. Alors voici mes conditions. A partir d'aujourd'hui et pendant un mois, il ne sera plus question de sexe entre nous. Nous sortirons ensemble, avec Rio ou en tête à tête, mais nos relations resteront platoniques. Et bien sûr, à la première photo compromettante de toi dans la presse en compagnie d'une autre femme, tu pourras dire adieu à notre accord.

Il y eut une soudaine tension dans l'air.

— Pas de sexe pendant un mois ?

Kimberley dut se retenir pour ne pas éclater de rire. La mine déconfite de Luciano était impayable !

— C'est bien ça, confirma-t-elle. Si tu tiens vraiment à me prouver que tu es capable d'être un bon père pour Rio, je suis sûre que tu parviendras à réprimer tes instincts. Cette expérience nous permettra de découvrir si nous sommes capables de partager autre chose que des nuits torrides. En cas de succès, je t'épouserai.

Elle réprima un sourire. Il n'y avait aucune chance qu'il accepte. Et même s'il acceptait, il était incapable de résister à la tentation. Jamais il ne tiendrait pendant un mois sans chercher à l'entraîner dans son lit.

Ce qui était une chance. Car elle ne voulait pas de ce mariage. Luciano ne l'aimait pas et il ne l'aimerait jamais. Or passer sa vie auprès de lui en sachant qu'il ne l'avait épousée que pour pouvoir vivre avec son fils serait au-dessus de ses forces.

— D'accord. J'accepte.

Absorbée dans ses pensées, Kimberley crut d'abord avoir mal entendu.

— Pardon ?

— J'ai dit d'accord. J'accepte tes conditions.

— Toutes ?

— Toutes.

— Tu es certain ?

Il esquissa un sourire.

— Oui. Prépare-toi à devenir mon épouse, *meu amorzinho.* Parce que tu vas beaucoup apprécier ma compagnie. Et Rio également.

Kimberley resta bouche bée. Lui qui se prétendait lucide… De toute évidence, il était complètement inconscient ! Jamais il ne parviendrait à se plier à ses exigences pendant un mois.

Et de toute façon, privé de sexe et obligé de communiquer

avec elle par d'autres moyens, il abandonnerait très vite l'idée de l'épouser.

Alors elle pourrait enfin reprendre une vie normale.

Bien sûr, il faudrait trouver une solution pour que Luciano et Rio puissent continuer à se voir. Mais ça ne devrait pas poser trop de problèmes.

— Marché conclu, dit-elle d'un ton léger.

Luciano quitta l'appartement de Kimberley en proie à une profonde perplexité. Aurait-il perdu la raison ?

Il venait d'accepter de côtoyer pendant un mois sans la toucher une femme qui le rendait fou de désir ! Aucun homme sensé n'aurait accepté l'ultimatum qu'elle lui avait lancé.

Dire qu'il avait toujours refusé de s'engager ! Aujourd'hui, il se sentait prêt à tout pour convaincre Kimberley de l'épouser. Et il parviendrait à ses fins. Quitte à prendre plusieurs douches glacées par jour pour calmer son ardeur. Un mois, ce n'était pas si long, après tout.

Ensuite, il deviendrait enfin un vrai père pour son fils. C'était le seul objectif de ce mariage.

Pour quelle autre raison, sinon, y tiendrait-il tant ?

10.

Un mois plus tard, assise à sa table de travail dans son salon, Kimberley humait avec délectation le parfum des nouvelles fleurs envoyées par Luciano le matin même.

Elle caressa du bout des doigts le collier qu'il lui avait offert la veille au soir, lors d'un dîner en tête à tête.

Dire qu'elle le croyait incapable de rester en face d'elle plus de deux minutes sans lui arracher ses vêtements… Au cours des dernières semaines, il n'avait cessé de lui prouver qu'elle se trompait.

Elle jeta un coup d'œil à son carnet de croquis ouvert devant elle. Jamais elle n'avait eu autant de mal à se mettre au travail… Elle s'était pourtant promis de faire quelques esquisses pour un collier commandé par un client français. Mais elle avait beau essayer, elle ne parvenait pas à se concentrer.

Luciano occupait toutes ses pensées.

La première fois qu'ils avaient passé plusieurs heures ensemble sans même échanger un baiser, c'était pour emmener leur fils au zoo. Elle n'en revenait encore pas…

Quel merveilleux après-midi ils avaient passé ! Elle avait même eu le sentiment extraordinaire qu'ils formaient une vraie famille.

Bien sûr, elle était consciente que Luciano ne l'aimait pas. Il était impossible qu'il soit subitement tombé amoureux d'elle ! S'il avait tenu ses engagements et s'il s'était montré aussi charmant au cours de leurs nombreuses rencontres, c'était uniquement pour la convaincre de l'épouser. Tous ces efforts, c'était pour son fils qu'il les avait faits.

Malgré tout, elle ne pouvait s'empêcher de se sentir ridiculement heureuse.

D'autant plus que l'angoisse qui ne la quittait plus depuis la lettre de menaces du maître chanteur s'était enfin évanouie. En partie parce qu'elle n'avait plus entendu parler de cet odieux individu depuis le coup de téléphone qu'il lui avait donné deux mois plus tôt pour s'assurer qu'elle avait bien reçu sa lettre. En partie parce que l'équipe de sécurité de Luciano veillait à présent jour et nuit sur Rio.

Elle poussa un petit soupir. Luciano lui manquait terriblement aujourd'hui. Pourtant, il ne s'était pas absenté pour longtemps. Obligé de se rendre à Paris dans la matinée pour une réunion urgente, il devait rentrer en fin d'après-midi. Pas avant plusieurs heures, donc, se dit-elle en consultant sa montre pour la énième fois.

A sa grande surprise, elle avait découvert qu'il n'était pas seulement un amant fantastique. C'était un compagnon attentionné avec qui elle ne passait que des moments enchanteurs depuis un mois. Comme il était agréable de le voir sous un jour différent !

Depuis l'instant où il lui avait annoncé son intention de l'épouser, il lui avait consacré tout son temps libre, ainsi qu'à Rio. Par ailleurs, il avait pris contact avec ses avocats pour modifier son testament. Il lui avait également donné d'innombrables documents à signer. Pour assurer l'avenir de leur fils avant même leur mariage, avait-il précisé.

Il s'occupait beaucoup de Rio. Chaque jour, il allait le chercher à la sortie de l'école pour se promener avec lui. Il le gâtait énormément, bien sûr, et le couvrait de cadeaux. Mais avant tout, il passait des heures à discuter avec lui.

Au début, il avait pourtant été mis à rude épreuve, se rappela Kimberley avec attendrissement. Rio ne cessait de lui poser des questions. D'abord crispé, Luciano s'était peu à peu détendu et avait fini par devenir assez loquace. Il parlait de lui et de son passé avec de moins en moins de réticence.

Mais le plus étonnant, c'était que ses confidences se poursuivaient une fois Rio endormi…

Londres étant frappé par une vague de chaleur, Luciano et elle avaient pris l'habitude de dîner dans le minuscule jardin sur lequel donnait la cuisine de l'appartement. Dans ce cadre intime, Luciano s'était peu à peu dévoilé au fil des soirées.

Elle avait appris que ses parents étaient morts quand il avait treize ans et qu'il avait été recueilli par Maria, la femme d'âge mûr qui était à présent son assistante. C'était pour lui témoigner sa gratitude qu'il l'avait engagée, et elle travaillait pour lui depuis plus de vingt ans.

Peut-être était-il capable de s'engager à long terme, finalement, se dit Kimberley en prenant son crayon. Après tout, il était toujours resté fidèle à Maria.

Et aujourd'hui, il semblait sincèrement déterminé à s'impliquer dans la vie de son fils.

Elle reposa son crayon.

Il fallait rester réaliste. Pas question d'imaginer, ne serait-ce qu'un instant, que tous les efforts de Luciano étaient motivés par autre chose que le désir d'être un père à part entière pour son fils.

Avec son accord, il avait révélé leur lien de parenté à Rio. Au souvenir de la réaction de son fils, Kimberley sentit sa gorge se nouer. Jamais elle n'avait vu une telle joie briller dans les yeux de Rio. Quand il avait compris que cet homme qui lui ressemblait tant et qui lui témoignait tant d'intérêt était son père, son visage s'était illuminé.

Comment pourrait-elle envisager de le priver de la chance de grandir dans une famille normale ? se demanda-t-elle. Surtout quand Luciano était si clairement résolu à devenir le meilleur père du monde.

Dire qu'il avait tenu tous ses engagements…

Un peu trop facilement à son goût, reconnut-elle.

N'était-il donc pas aussi frustré qu'elle par l'abstinence qu'elle lui avait imposée ?

Apparemment, non. Depuis un mois, il n'avait pas ébauché le moindre geste équivoque à son égard. Pour la saluer et prendre congé, il l'embrassait sur les deux joues. C'était le seul contact physique qu'il se permettait avec elle.

Comme elle le lui avait fait promettre.

Quelle idiote ! De son côté, elle devait faire des efforts surhumains pour ne pas le supplier de rester quand il la quittait après le dîner.

Elle reprit son crayon et se mit à dessiner. Son désir pour lui était d'autant plus intense qu'il lui faisait passer des moments merveilleux. Même si elle savait qu'il ne lui accordait son temps et son attention que dans un but bien précis.

Mais après tout, quelle importance si Luciano ne l'aimait pas ? Elle savait depuis longtemps que la vie n'était pas un conte de fées. Passer des moments fabuleux avec l'homme de sa vie tout en offrant un vrai foyer à son fils, n'était-ce pas une forme de bonheur ?

Du moment qu'elle prenait soin de ne pas lui dévoiler ses sentiments, qu'avait-elle à craindre d'un mariage avec Luciano ?

Elle consulta de nouveau sa montre. Elle avait prévu d'aller chercher Rio à l'école une demi-heure plus tôt que d'habitude pour l'emmener à l'aéroport accueillir Luciano. N'était-ce pas ainsi qu'on se comportait dans une vraie famille ? Rio était ravi à l'idée de faire cette surprise à son père.

Le téléphone sonna. Sans doute Luciano, se dit Kimberley en décrochant. Elle coinça le combiné contre son épaule tout en rassemblant plusieurs croquis effectués la veille.

Mais en reconnaissant la voix de son interlocuteur, elle sentit son estomac se nouer. Les feuilles s'échappèrent de ses doigts tremblants et s'éparpillèrent sur le sol.

— Cette fois, vous avez vraiment touché le gros lot, n'est-ce pas ?

Le cœur étreint par une poigne d'acier, Kimberley crispa les doigts sur le combiné.

— Que voulez-vous ?

— Si vous éprouvez le besoin de poser cette question, c'est que vous êtes encore plus stupide que vous en avez l'air.

— Je... je vous ai déjà payé. Vous aviez promis que...

— La situation a évolué. Vous êtes une femme très riche, à présent. Aujourd'hui, je veux dix millions.

Elle ferma les yeux.

— C'est impossible, murmura-t-elle d'une voix blanche.

— Vous savez bien que non.

— Ce n'est pas mon argent. Je ne peux pas...

— Dans ce cas, tant pis pour votre fils, coupa sèchement la voix. Au revoir.

— Attendez !

Elle se leva d'un bond.

— Ne raccrochez pas !

— Etes-vous prête à vous montrer raisonnable ?

Kimberley refoula ses larmes. Avait-elle le choix ?

— Oui. Je... je ferai tout ce que vous voudrez...

Il y eut un rire froid à l'autre bout de la ligne.

— Bonne décision. Pour vous prouver que je suis conciliant, je vous accorde vingt-quatre heures pour vous procurer la somme. Ce délai écoulé, je vous contacterai de nouveau. Mais attention. Pas question d'informer la police ou Santoro. Sinon, vous savez à quoi vous attendre.

Vingt-quatre heures ?

Ce n'était pas suffisant ! Elle ne pourrait jamais...

— Je ne dirai rien à Luciano ! Vous avez ma parole ! Mais...

Elle s'interrompit. Il avait raccroché !

— Puis-je savoir ce que tu as promis de ne pas me dire ? demanda une voix glaciale.

Ce fut au tour du combiné de s'échapper des mains de Kimberley. Il rejoignit les croquis sur le sol avec un bruit sec.

Le cœur battant à tout rompre, Kimberley leva les yeux. Depuis le seuil de la pièce, Luciano dardait sur elle un regard menaçant. Depuis combien de temps était-il là ? Qu'avait-il entendu, exactement ?

— Tu es en avance..., murmura-t-elle, éperdue.

— Oui. Mais de toute évidence, me libérer pour passer plus de temps en famille n'était pas une bonne idée, déclara-t-il sèchement en refermant la porte derrière lui. Quand je pense que tu m'as reproché de me montrer trop réservé ! Si quelqu'un cache des secrets, c'est bien toi.

L'estomac noué, Kimberley avait toutes les peines du monde à respirer.

— Je n'ai pas de secrets...

Ce n'était pas le moment de se quereller avec Luciano. Il fallait absolument qu'elle trouve une solution. Mais comment parviendrait-elle à réfléchir si la peur panique qu'elle éprouvait pour son fils lui brouillait l'esprit ?

Luciano se planta devant elle.

— Qu'as-tu promis de ne pas me dire ? Et à qui as-tu fait cette promesse ?

Elle le regarda avec désespoir. Son regard glacial et sa moue méprisante lui déchiraient le cœur… Elle brûlait de se confier à lui. Malheureusement, c'était impossible. Elle ne pouvait pas prendre ce risque. S'il arrivait malheur à Rio, elle ne se le pardonnerait jamais.

Certes, l'équipe de sécurité veillait sur lui jour et nuit. Malheureusement, ça ne suffisait plus à la rassurer.

— Excuse-moi, mais je suis pressée, répondit-elle en s'efforçant de prendre un ton neutre. Je n'ai pas le temps de discuter.

Jason était la seule personne à qui elle pouvait parler de ce coup de téléphone. Mais avant tout, il fallait aller chercher Rio. De toute urgence.

Au comble de l'agitation, elle s'agenouilla pour ramasser le combiné du téléphone et les documents éparpillés par terre. Mais ses mains tremblaient tellement que les feuilles s'en échappaient dès qu'elle les saisissait. Elle s'efforça de refouler les larmes qui lui brouillaient la vue.

— Pouvons-nous partir pour le Brésil cet après-midi ? demanda-t-elle impulsivement. Avec Rio. S'il te plaît.

Luciano la regarda d'un air ébahi.

— Qu'est-ce qui t'arrive ? C'est toi qui voulais attendre la fin de l'année scolaire. Tu te souviens ?

— Je… je sais. Mais j'ai changé d'avis. Je veux que nous partions tout de suite.

Ils pourraient se réfugier sur l'île. Là-bas, Rio ne craindrait absolument rien.

Luciano la fixait toujours avec une stupéfaction non dissimulée.

— Pourquoi cette subite envie de retourner au Brésil ? insista-t-il.

— Pourquoi faut-il que tu poses toujours autant de questions ? rétorqua-t-elle en tentant de rassembler ses croquis.

— Peut-être parce que tu ne daignes pas m'accorder une seule réponse.

Il la saisit par les épaules et l'obligea à se relever.

— Cesse de faire semblant de ramasser ces papiers. Cesse d'éviter mon regard. Reste tranquille juste une minute, que nous puissions discuter.

— Je n'ai pas le temps. Pas maintenant.

Mieux valait ne pas imaginer ce qui pourrait arriver à Rio si elle avouait la vérité à Luciano.

— Et de toute façon, il n'y a rien à dire, ajouta-t-elle d'une voix qu'elle espérait ferme.

Il la relâcha si brusquement qu'elle faillit tomber.

— Très bien. De toute évidence, j'ai été stupide de penser que nous pourrions nous entendre pour le bien de notre fils. Va faire ce que tu as promis de me cacher. Je vais travailler. Je reviendrai plus tard chercher Rio pour l'emmener goûter. Mon avocat prendra contact avec toi dès demain pour mettre au point les dispositions à prendre pour l'avenir. En fin de compte, je suis d'accord avec toi. Le mariage n'est pas une bonne idée. Je ne peux pas épouser une femme qui me fait des cachotteries.

Kimberley faillit éclater en sanglots. Oh, Seigneur ! Comme elle avait envie de se jeter dans ses bras et de tout lui avouer ! Malheureusement, il n'en était pas question.

A travers ses larmes, elle le vit quitter la pièce du pas décidé d'un homme qui n'avait aucune intention de revenir.

Elle s'efforça de surmonter son désespoir. Ce n'était pas le moment de flancher. Il fallait qu'elle aille chercher son fils au plus vite.

Elle s'apprêtait à franchir la porte d'entrée quand le téléphone sonna. C'était l'école.

Rio n'était pas en classe.

*
* *

Luciano regagna sa voiture à grands pas en faisant de son mieux pour réprimer la fureur qui le consumait. La culpabilité qui s'était peinte sur le visage de Kimberley quand il l'avait surprise au téléphone avait éveillé en lui un sentiment inconnu, d'une violence inouïe...

L'espace d'un instant, il avait été tenté de l'empoigner et de la traîner jusqu'à la voiture afin de la conduire à son hôtel et de l'enfermer dans sa suite. Pour l'empêcher d'avoir le moindre contact avec le monde extérieur.

Et surtout avec d'autres hommes.

Car il n'y avait aucun doute. C'était à cause d'un homme qu'elle faisait tous ces mystères. Si elle avait insisté pour bannir le sexe de leurs relations, était-ce parce qu'elle avait un amant ?

Il serra les dents, tandis que son chauffeur démarrait. Pourquoi se sentait-il si vulnérable ? Jamais auparavant il ne s'était senti aussi désarmé.

S'il avait quitté Paris plus tôt que prévu, c'était parce qu'il avait été soudain submergé par un besoin impérieux de retrouver Kimberley.

Luciano eut une moue de dérision. A en juger par sa réaction, elle n'attendait pas son retour avec la même impatience. Dire qu'il avait choisi avec le plus grand soin un superbe diamant... Jamais il n'aurait imaginé que la bague qu'il destinait à sa future épouse resterait dans sa poche !

Au cours des dernières semaines, il lui avait pourtant semblé qu'elle appréciait sa compagnie et qu'elle devait faire des efforts pour ne pas rompre le pacte qu'elle lui avait imposé. Quel idiot ! De toute évidence, il avait été aveuglé par son propre désir.

En réalité, Kimberley avait un amant.

Il réprima un juron. Qu'avait-il donc espéré ? Qu'elle éprouvait pour lui les mêmes sentiments qu'à dix-huit ans et qu'en voyant la bague elle se jetterait dans ses bras en lui avouant son amour ?

Au comble de la frustration, il serra les dents. Que lui cachait-elle donc ? Quand elle l'avait vu, ses yeux verts s'étaient remplis d'effroi et elle était devenue livide. Pourquoi ?

La vague de jalousie qui avait submergé Luciano commença à refluer et sa raison reprit peu à peu le dessus. Il plissa le front au souvenir de l'extrême pâleur de Kimberley et des feuilles éparpillées sur le sol.

Les papiers étaient déjà par terre quand il était entré dans la pièce…

Il se remémora dans le détail chaque seconde de son bref entretien avec Kimberley. En réalité, elle était déjà livide quand il était entré dans la pièce. Ce n'était donc pas son arrivée qui l'avait fait blêmir. Et si les papiers étaient déjà tombés, ce n'était pas à cause de lui qu'elle les avait lâchés.

La seule chose qui lui avait échappé des mains quand elle l'avait vu, c'était le téléphone.

Et presque aussitôt, elle l'avait supplié de les emmener au Brésil, Rio et elle. Alors qu'elle avait toujours insisté jusque-là pour que Rio termine l'année scolaire avant qu'ils ne l'emmènent en voyage…

Pourquoi voudrait-elle retourner au Brésil si elle avait un amant à Londres ?

Quelque chose clochait.

Luciano réprima un juron. Il fallait retourner auprès d'elle et exiger qu'elle s'explique.

Au même instant, son portable sonna. C'était Kimberley, constata-t-il en voyant le numéro affiché sur l'écran. Tous les sens en alerte, il s'empressa de répondre.

— J'ai besoin de toi, murmura-t-elle.

*
* *

Où était Luciano ? Quand allait-il venir ?

Recroquevillée sur le canapé, Kimberley était secouée de tremblements. Son pire cauchemar était devenu réalité…

— Bois ça, dit Jason d'un ton apaisant en approchant un verre de cognac de ses lèvres.

Elle secoua la tête, incapable d'avaler une gorgée. Puis, soudain, elle entendit le pas déterminé de Luciano sur le parquet et éclata en sanglots de soulagement. Enfin ! Elle avait tellement besoin de lui !

Luciano pénétra dans la pièce et étouffa un juron en voyant le visage baigné de larmes de Kimberley.

En deux enjambées, il la rejoignit.

— Raconte-moi tout depuis le début, intima-t-il en s'asseyant à côté d'elle et en la prenant dans ses bras. Et par pitié, ne me cache plus rien.

Elle réprima un sanglot.

— Il a été enlevé.

Les traits de Luciano se crispèrent.

— Il était pourtant censé me laisser vingt-quatre heures pour trouver l'argent, poursuivit-elle d'une voix hachée. Mais l'école vient de m'appeler. Rio a disparu.

— Le maître chanteur a repris contact avec toi ? s'exclama Luciano.

— Il m'a fait promettre de ne rien te dire. Que va-t-il se passer s'il s'aperçoit que je t'ai parlé ?

Luciano ne répondit pas. Ayant visiblement recouvré tout son sang-froid, il prit son portable dans sa poche, tout en continuant de serrer Kimberley contre lui. Le visage impassible, il donna trois coups de téléphone en brésilien. Puis il remit son portable dans sa veste et pressa l'épaule de Kimberley.

— Pourquoi ne m'as-tu pas prévenu tout de suite ? Tu devrais pourtant savoir que je ne laisserai jamais personne toucher à un seul cheveu de notre fils.

Kimberley sentit l'espoir renaître en elle. C'était comme si une petite lueur venait de s'allumer dans l'obscurité…

Cependant, l'angoisse lui nouait toujours l'estomac.

— Comment a-t-il pu enlever Rio alors qu'il était à l'école ? murmura-t-elle d'une voix étranglée.

— Calme-toi, *meu amorzinho.* Personne n'a enlevé Rio. Mes gardes ne l'ont pas quitté une seule seconde.

Son portable sonna et il répondit immédiatement. Le visage toujours impassible, il échangea quelques mots en brésilien avec son interlocuteur.

— Comme je le pensais, tout va bien, déclara-t-il après avoir raccroché. Rio est sain et sauf. Tu peux te détendre, *minha docura*.

Kimberley fut submergée par un soulagement si intense qu'elle en eut le vertige.

— Où était-il ?

Luciano écarta une mèche de cheveux de son visage défait.

— Chez le marchand de journaux, en face de l'école. Pour m'acheter un cadeau, apparemment. Il a expliqué à mon chauffeur que vous aviez prévu d'aller me chercher à l'aéroport.

— Oui, répondit-elle d'une voix faible.

Luciano se leva et l'aida à en faire autant.

— Mon chauffeur le conduit directement à mon hôtel. Il y sera en sécurité. Je vais t'y faire conduire également. Mais avant tout, il faut que tu essaies de te composer un visage plus serein. Rio ne doit pas te voir dans cet état.

— Mais… et le maître chanteur ? Il m'a donné vingt-quatre heures pour…

— Ne t'inquiète pas. Il a commis une erreur en te téléphonant ici. Je sais à présent qui il est et où il se trouve. Je vais m'occuper de lui.

Pleinement rassurée, Kimberley gagna la salle de bains pour s'asperger le visage d'eau fraîche. Quand elle en ressortit, deux gardes du corps l'attendaient pour l'escorter jusqu'à l'hôtel.

Luciano était parti.

11.

Kimberley passa le reste de l'après-midi et la soirée avec Rio dans la suite de Luciano. Malgré la présence rassurante des gardes du corps, elle ne quitta pas une seconde son fils des yeux. Tout danger n'était peut-être pas encore écarté…

Au fur et à mesure que les heures passaient sans nouvelles de Luciano, son anxiété croissait. Ce n'était pas seulement pour Rio qu'elle avait peur, finit-elle par s'avouer. Et si quelque chose était arrivé à Luciano ?

Ce dernier finit par rentrer longtemps après que son fils se fut endormi.

— Enfin ! s'exclama-t-elle quand il pénétra dans le salon de la suite. J'étais morte d'inquiétude et personne ne voulait me dire où tu te trouvais.

Il s'avança vers elle d'un pas nonchalant.

— Pourquoi étais-tu inquiète ? Rio est avec toi.

— Je craignais qu'il te soit arrivé quelque chose.

Kimberley se maudit intérieurement. Elle en avait trop dit ! Luciano ne voulait ni de son amour ni même de sa sollicitude. Seul Rio l'intéressait.

Tout à coup, une évidence s'imposa à son esprit. Même si elle en mourait d'envie, elle ne pouvait pas l'épouser. Un jour ou l'autre, il finirait par rencontrer une femme dont il tomberait amoureux. Et elle ne voulait pas être un obstacle à son bonheur.

Il s'arrêta devant elle et lui prit le menton.

— Il est temps que tu apprennes à me faire confiance, *meu amorzinho*. Même et surtout quand il s'agit d'affronter un maître chanteur.

— Tu l'as retrouvé ? demanda-t-elle, le cœur battant.

— Bien sûr. Le problème est résolu.

Elle poussa un profond soupir de soulagement. Dieu merci, le cauchemar était définitivement terminé !

— Merci, Luciano. Tu ne peux pas savoir à quel point je te suis reconnaissante.

Il s'écarta d'elle et passa nerveusement les doigts dans ses cheveux.

— Avant de m'exprimer ta gratitude, il faut que tu saches que je suis en partie responsable de cet ignoble chantage.

— Je ne comprends pas…

— C'était un de mes employés. Un chauffeur que j'ai licencié il y a quelques mois après avoir découvert qu'il était malhonnête.

Kimberley ouvrit de grands yeux.

— Mais… comment pouvait-il savoir que tu avais un fils ?

— Il y a sept ans, il a surpris une conversation dont il a décidé de tirer parti pour se venger.

— Une conversation ? Mais personne n'était au courant de ma grossesse et je n'ai jamais…

Kimberley s'interrompit brusquement.

— Oh, mon Dieu ! Le jour où je suis allée te voir à ton bureau pour tenter une dernière fois de t'annoncer que j'étais enceinte, et où tu m'as fait conduire à l'aéroport… J'étais tellement perdue que j'ai appelé Jason de la voiture pour lui demander s'il pouvait m'héberger à Londres.

— Et tu lui as expliqué la raison de ton retour.

Kimberley hocha la tête.

— Tout est ma faute.

— Pas du tout. Le seul coupable, c'est moi. Si je ne m'étais pas comporté de manière aussi odieuse avec toi, rien de tout cela ne serait arrivé. Je suis sincèrement désolé et j'espère que tu consentiras à me pardonner.

Kimberley resta sans voix. Luciano lui présentait des excuses ?

Il lui prit les mains.

— Mais ce que je regrette le plus, c'est de ne pas t'avoir crue quand tu m'as annoncé qu'on te faisait chanter. Je m'en veux terriblement de t'avoir laissée affronter seule une épreuve aussi pénible. Le jour où tu es venue me montrer la lettre, j'aurais dû te croire. Mais j'ai préféré me dire que tu étais une petite aventurière sans scrupules.

Elle sentit ses joues s'empourprer.

— Je peux comprendre que tu te sois méfié de moi, vu tout l'argent que j'ai dépensé avec tes cartes de crédit. Mais si tu pensais que j'étais revenue pour t'escroquer, pourquoi as-tu voulu renouer avec moi ? Je ne l'ai toujours pas compris. Tu avais été si déterminé à me rayer de ton existence après notre rupture… Tu ne pouvais plus me supporter.

— Pas du tout. Je ne pouvais plus me passer de toi, au contraire.

Kimberley le regarda avec stupéfaction.

— Pourquoi as-tu eu d'autres aventures, dans ce cas ?

— Je n'ai jamais fréquenté une seule autre femme pendant toute la période où nous étions ensemble.

— Mais… cette photo dans la presse ?

Il eut une moue contrite.

— C'était une mise en scène. Pour provoquer la rupture entre nous.

— Je n'arrive pas à le croire, murmura-t-elle d'une voix à peine audible. J'ai été si blessée en voyant cette photo.

Luciano tressaillit, comme si elle venait de le gifler.

— Je sais et je m'en veux terriblement. Crois-tu qu'un jour tu pourras me pardonner tout le mal que je t'ai fait ?

Kimberley était au comble de la confusion. Sept ans plus tôt, Luciano ne pouvait pas se passer d'elle ? Il ne l'avait jamais trompée ?

— Je ne comprends pas. Je t'horripilais. Tu ne me supportais plus parce que j'étais trop affectueuse... parce que tu ne partageais pas mes sentiments.

— Tu te trompes. J'éprouvais exactement les mêmes sentiments que toi et cela m'effrayait.

Luciano, effrayé ?

Kimberley le regarda avec stupeur.

— Tu éprouvais les mêmes sentiments que moi ?

— Oui.

Elle sentit son cœur s'affoler dans sa poitrine.

— Je t'aimais, Luciano.

— Je sais.

Il se frotta la nuque, manifestement embarrassé.

— Moi aussi, je t'aimais. Mais, contrairement à toi, je refusais de l'admettre. Pour la première fois de ma vie, je sentais que le contrôle de la situation risquait de m'échapper et je ne pouvais pas l'accepter. C'est pour cette raison que j'ai fui tout contact avec toi après notre rupture. Je craignais de flancher si je te revoyais.

— Je ne comprends toujours pas. Si tu m'aimais, pourquoi me rejeter ?

Il y eut un long silence. Puis Luciano se dirigea vers la fenêtre et, le dos tourné, répondit d'une voix crispée :

— Je m'étais juré de ne jamais commettre la même erreur que mon père. Il aimait tellement ma mère que le jour où elle est morte, il a perdu pied. J'avais treize ans et j'ai été témoin de sa chute. J'ai vu un homme dynamique devenir une loque du jour au lendemain. Ça ne m'a pas donné une image très positive de l'amour. En quelques mois, la société de mon père a fait faillite et nous avons perdu notre maison. Il est mort peu de temps après. Sans Maria, je ne sais pas ce que je serais devenu.

Kimberley était pétrifiée. Comme il avait dû souffrir ! Assister à la déchéance de son père juste après avoir perdu sa mère, quelle tristesse ! Elle aurait tellement aimé essayer de le réconforter en le serrant dans ses bras… Mais mieux valait s'abstenir pour l'instant, comprit-elle.

— Comment est-il mort ? demanda-t-elle d'une voix douce.

Luciano resta immobile, face à la fenêtre.

— Je pense qu'il a tout simplement renoncé à vivre.

Kimberley sentit sa gorge se nouer. C'était la première fois qu'elle avait le sentiment d'avoir en face d'elle le vrai Luciano, sans masque ni armure.

— Et tu t'es promis de ne jamais prendre le risque de connaître le même sort que lui…

— En effet. C'est pour cette raison que j'ai préféré te fuir.

— J'aurais tant aimé que tu me parles, à l'époque…

— J'en étais incapable. Et je n'avais qu'une envie. Prendre mes jambes à mon cou.

Il eut une moue d'autodérision.

— Ce que j'ai fait, d'ailleurs.

Kimberley déglutit avec difficulté.

— Quand je suis venue te demander ton aide, il y a six semaines…

— Je n'ai pas pu résister à la tentation de te revoir. Puis, je n'ai pas pu résister à celle de te garder auprès de moi. Mais comme autrefois, j'ai refusé de m'avouer que je t'aimais. J'ai réussi à me persuader que tu ne m'inspirais que du désir et que deux semaines suffiraient à me guérir de la fièvre qui me dévorait. Mais j'ai finalement été obligé de reconnaître l'évidence. Tu ne m'inspires pas que du désir, *meu amorzinho.* Et toute une vie ne suffira pas à me guérir de l'amour que j'éprouve pour toi.

Le cœur gonflé de joie, Kimberley avait encore du mal à croire que son rêve le plus cher était en train de se réaliser.

— Moi qui pensais que tu voulais m'épouser uniquement à cause de Rio !

— Si je veux t'épouser, c'est parce que je t'aime et que je ne peux pas vivre sans toi.

Il l'attira contre lui.

— Et si j'étais capable de générosité, je te dirais que je t'aime trop pour t'épouser si tu ne partages plus mes sentiments. Mais comme tu l'as judicieusement souligné à plusieurs reprises, je suis un monstre d'égoïsme, qui ne comprend pas le sens du mot « non ». Si bien que je ne vais pas pouvoir m'empêcher de te harceler jusqu'à ce que tu me répondes « oui ».

Il plongea son regard dans le sien.

— Par pitié, abrège mon supplice. Dis-moi que tu acceptes de t'unir à moi pour toujours.

Pour toujours... Quels mots merveilleux ! songea Kimberley, éblouie.

Elle noua les bras sur la nuque de Luciano.

— J'ai décidé de me montrer magnanime et d'accéder à tes prières. La réponse est « oui ».

— Penses-tu que si je continue à faire des efforts, tu réussiras un jour à m'aimer de nouveau autant qu'autrefois ?

Se hissant sur la pointe des pieds, elle déposa un baiser sur ses lèvres.

— C'est déjà le cas.

— C'est vrai ? s'exclama-t-il, manifestement incrédule. Tu m'aimes encore ?

— Je n'ai jamais cessé de t'aimer. Cependant, je me demande avec appréhension quel effet va avoir cet aveu sur ton ego hypertrophié.

Avec un petit rire ravi, Luciano l'attira contre lui.

— Si je glisse une bague à ton doigt, aurai-je le droit de t'enlever tes vêtements ? Parce que je dois t'avouer que l'abstinence fait partie des nombreux domaines dans lesquels je ne suis pas très doué.

— Moi non plus, reconnut-elle, parcourue d'un long frisson.

C'était si bon de sentir que son désir pour elle était toujours aussi intense ! songea-t-elle en se blottissant dans ses bras.

— Et il n'est pas nécessaire d'attendre que j'aie une bague au doigt, ajouta-t-elle.

— Mais si, j'y tiens absolument, répliqua-t-il en sortant un écrin de velours de sa poche. Cette bague indiquera à tous les hommes qui poseront les yeux sur toi que ton cœur n'est plus à prendre.

Il ouvrit l'écrin.

— Oh, Luciano ! Ce diamant est magnifique…

Des larmes de bonheur roulèrent sur les joues de Kimberley.

Après avoir glissé la bague à son doigt, Luciano la serra dans ses bras.

— Et si j'avais dit non ? demanda-t-elle en s'efforçant de prendre un ton enjoué pour masquer son émotion.

— C'est un mot que je ne comprends pas, rappela-t-il d'une voix rauque en se penchant vers elle.

Les joues en feu, elle murmura :

— Que dirais-tu de poursuivre cette conversation dans un lit ?

Le 1er mars

Noir secret - Brenda Novak • N°280

A neuf ans, Grace a été victime des désirs pervers de son beau-père. Puis il a disparu sans laisser de trace. La suspicion et les rumeurs ont alors envahi la petite ville de son enfance... Mais aujourd'hui, Grace est prête à tout pour briser la malédiction qui pèse sur sa vie. Même s'il lui faut pour cela exhumer un passé douloureux, fait de crimes et de rancœurs.

Le lien du sang - Jennifer Armintrout • N°281

Belle. Et immortelle... Une seule goutte de sang a fait d'elle un vampire, une femme assoiffée de sang, condamnée à vivre dans l'ombre. Elle a quinze jours pour décider de son destin : rejoindre Nathan, l'homme qui l'a initiée à sa vie d'immortelle. Ou succomber au désir fatal qui la pousse vers Cyrus, le démon dont le sang coule dans ses veines... Quinze jours pour combattre le mal... ou se soumettre à jamais.

Erreur fatale - Merline Lovelace • N°282

Ancien membre des services secrets, Cleo North s'en est toujours voulu de n'avoir pu empêcher le meurtre de son amie Debra. D'autant que la version officielle du crime passionnel lui a toujours paru douteuse. Pour elle, le dossier reste ouvert. Et elle entend bien, avec l'aide de Jack Donovan, son ancien collègue, approfondir l'enquête et réparer l'erreur fatale dont elle s'accuse...

Mort sous hypnose - Dinah MacCall • N°283

En trois semaines, six jeunes femmes se donnent la mort sans raison apparente. Or, deux éléments troublants rapprochent ces disparitions soudaines, invalidant la thèse du suicide : juste avant de mettre fin à leurs jours, toutes les victimes ont reçu un appel téléphonique, dont aucun témoin ne connaît la teneur. Toutes ont aussi participé aux mêmes séances d'hypnose... exactement comme leur amie Virginia Shapiro qui, ayant appris leur décès, vit dans l'angoisse d'être la prochaine victime...

Une vie volée - Metsy Hingle • N°284

Après la mort de sa mère, Laura découvre la vérité sur sa naissance : elle n'est pas, comme elle l'a toujours cru, la fille de Richard Harte, fou amoureux de sa mère et mort au front avant sa naissance, mais l'enfant illégitime d'un certain Andrew Jardine, riche bourgeois de la Nouvelle-Orléans, qui ne l'a jamais reconnue. Seule avec ses questions et ses peurs, tourmentée par le secret de ses origines, Laura n'a plus qu'une idée en tête : trouver ce qui a détruit l'amour de ses parents, et fait basculer son propre destin...

Lady Mystère - Kat Martin • N°285

Londres, 1804.

Pour protéger sa jeune soeur de la lubricité de leur beau-père, lady Victoria Temple décide de fuir avec elle à Londres où, pour survivre, toutes deux n'ont d'autre choix que de se faire engager comme domestiques chez le duc de Brant. Ce dernier s'intéresse d'emblée à Victoria, dont le charme piquant l'intrigue et le séduit. Il lui fait une cour assidue à laquelle la jeune femme, bien que secrètement troublée, s'interdit de succomber. Elle ne peut pas, ne doit pas, baisser la garde. Car si le duc venait à découvrir leur véritable identité, les conséquences seraient terribles...

Secrets et mensonges - Debbie Macomber • N°144 *(réédition)*

Désireuse de faire le point sur sa vie, Lindsay Snyder revient à Buffalo Valley où, enfant, elle a passé ses vacances. Un secret de famille hante sa mémoire, et elle n'a de cesse de découvrir ce que sa grand-mère a toujours cherché à lui cacher. Mais à son arrivée, elle trouve la petite ville bien changée : boutiques fermées, quartiers désertés... Loin de la décourager, ce voyage au pays de son enfance se révèle un véritable pari sur l'avenir – y compris sur son destin de femme...